La tortue

MARABOUT

Hartmut Wilke

La tortue

Bien la soigner

Bien la nourrir

Bien la comprendre

Photos : Uwe Anders

Illustrations : Renate Holzner

Traduction : Stéphanie Alglave et Christian Houba

TABLE DES MATIÈRES

3 Comprendre, apprendre et observer

D Divers

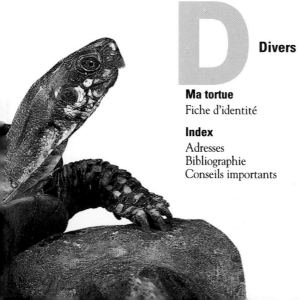

Encadrés pour enfants

S'informer avant d'acheter

Il y a plus d'un million d'années, les tortues étaient déjà présentes sur la terre. Aujourd'hui, ces témoins archaïques du passé continuent de fasciner les hommes.

Ce qu'il faut savoir sur les tortues

Une tortue, si on lui prodigue des soins adéquats, peut atteindre 60 ans et plus, et tenir compagnie à une personne tout au long de sa vie. Pour profiter longtemps de votre tortue, vous devez donc bien connaître ses besoins et ses habitudes.

Le milieu naturel des tortues

Les tortues ont besoin de chaleur, c'est pourquoi on les rencontre principalement dans les régions tropicales et subtropicales. Cependant, certaines d'entre elles se sont adaptées aux climats plus contrastés d'Amérique du Nord, d'Europe et d'Australie. Il s'agit des espèces qui hibernent, comme la Clemmyde à gouttelettes (→ page 40). L'Amérique du Nord et du Sud sont les régions où les tortues sont les plus nombreuses. On y trouve beaucoup de tortues palustres et bourbeuses comme la célèbre Tortue de Floride (→ page 39). Les tortues peuplent de nombreuses régions. Les tortues

La Tortue musquée est une tortue qui a besoin d'un support pour grimper sous l'eau.

L'installation de tortues dans un étang n'est possible que de juin à septembre sous nos latitudes.

marines passent leur existence dans l'océan et ne se rendent sur terre que pour pondre. Les tortues d'eau douce vivent dans les fleuves et les lacs et ne vont, elles aussi, sur terre que pour pondre. Certaines tortues ont même colonisé les ruisseaux de montagnes tropicales ou conquis les steppes et les déserts.

La Tortue de Horsfield (→ page 33) survit par exemple aux périodes de chaleur et de sécheresse en creusant des tunnels où son activité se ralentit durant l'été.

Certaines espèces de tortues chassent avec vivacité, comme les tortues marines, d'autres pêchent patiemment, comme la Tortue happeuse (*Chelydra serpentina*), ou encore guettent leur proie, comme la

Matamata (*Chelus fimbriatus*). Il existe aussi des tortues qui, lorsqu'elles sont jeunes, vivent exclusivement dans l'eau et ne deviennent terrestres qu'à l'âge adulte, par exemple *Cyclemis mouhoti* (→ pages 37 et 46).

Zoologie

Il y a un million d'années environ, la tortue était déjà présente sur terre, aux côtés des sauriens et des crocodiles. Elle était à cette époque très semblable aux tortues marines actuelles.

Grâce à un pissenlit, la tortue ouvrira son bec et vous pourrez observer sa bouche sans difficulté.

En Allemagne, des tortues fossiles de plus de 50 cm de long ont été découvertes en bordure du Harz *(massif cristallin situé en Allemagne centrale dont le point culminant est le Brocken (1142m))*. Ces tortues représentent les fossiles les plus anciens du Mésozoïque découverts jusqu'ici.

Elles possédaient un long cou qui ne pouvait rentrer dans la carapace, mais était protégé par des crêtes épineuses Dans la gueule des tortues fossiles, on a découvert de petites dents à cuspides, soudées au palais. Sur les mâchoires, on voyait aussi clairement des traces de dents. Cette particularité a aujourd'hui disparu.

Les mâchoires des tortues actuelles sont munies de crêtes cornées tranchantes. Leur carapace a également connu différentes adaptations au cours de l'évolution. La Tortue molle, dont le corps n'est protégé que par une peau dure et élastique, en est un exemple extrême. Seul un petit morceau de son plastron constitue un vestige de son ancienne carapace.

D'autres espèces de tortues comme le Platysterne *(Platysternon megacephalon)* ont une tête fortement cuirassée, qu'elles ne peuvent plus ou n'ont plus besoin de rentrer dans la carapace.

Malacochersus tornieri, espèce africaine, très plate, a une carapace tellement atrophiée qu'elle est aussi élastique qu'un ongle. Pour se protéger de ses ennemis, elle se dissimule dans d'étroites fentes de rochers.

Les Tortues-boîtes ont une carapace munie d'articulations et de charnières. Lorsqu'elles rentrent la tête et les pattes, elles peuvent refermer complètement la «boîte».

Les tortues marines ont une carapace plate, un corps de forme aérodynamique et des pattes conçues pour «pagayer». En nageant, elles atteignent des vitesses supérieures à 70 km/h.

La Tortue Luth, la plus grande et la plus lourde de toutes les espèces de tortues, ne possède qu'une pseudo-carapace présentant sept carènes osseuses qui la soutiennent. La Tortue Luth peut atteindre deux cents kilos.

Rapports entre l'homme et la tortue

Il est vraisemblable que les premiers contacts entre l'homme et la tortue ne se soient pas passés au mieux pour l'animal, comme en témoignent les pièces exposées dans les musées consacrés à la culture populaire et à l'artisanat.

En Afrique du Sud, les carapaces étaient colmatées avec de la résine et de la cire et servaient de coffrets à bijoux ou de récipients pour le transport. Décorés de lacets, de perles et d'anneaux, ces récipients servaient à conserver et à transporter des colorants, des drogues ou des cosmétiques.

Les grandes carapaces, comme celles des tortues marines, étaient utilisées en guise de coupes pour offrir et transporter des fruits ou des fruits de mer.

Il est difficile de trouver la véritable raison pour laquelle on a commencé à consommer des tortues. On peut supposer que c'est la faim qui a poussé l'homme à les chasser à cause de leur chair délicieuse.

On sait combien il était simple pour les marins d'autrefois de capturer des tortues géantes et de se constituer ainsi une réserve de viande fraîche pour leurs longs voyages en mer. Ils abordaient les Seychelles ou les îles Galápagos, emportaient les animaux et les posaient sur le dos dans les

L'homme vénérait-il la tortue autrefois ?

Oui, surtout dans les pays où vivaient des tortues. L'homme les considérait comme quelque chose d'exceptionnel. Il y a 2000 ans, on croyait par exemple que l'apparition de la terre était due à une gigantesque tortue. Les hommes imaginaient que celle-ci reposait sur le fond de la mer et laissait émerger sa carapace au-dessus de l'eau. Le monde serait ainsi apparu sur la carapace de la tortue. C'est ce que pensaient également les Indiens d'Amérique du Nord. Selon eux, la tortue était un animal amical et intelligent. Lorsque des décisions devaient être prises, on interrogeait au préalable la tortue. Les Indiens agissaient en fonction de la façon dont celle-ci se comportait.

En Asie, on vénérait également la tortue. On y était surtout fasciné par les différents motifs des carapaces. Les devins en déduisaient par exemple combien de temps un homme vivrait ou s'il aurait de la chance dans sa vie.

En Europe - en Grèce - on a également utilisé la carapace de la tortue pour faire des prédictions.

Les vers de terre et les limaces sont les mets préférés de la Tortue-boîte commune.

cales des anciens voiliers jusqu'au moment où ils étaient consommés.

En Amérique du Sud et en Asie du Sud-Est, les tortues palustres continuent d'être capturées pour être consommées, et leurs œufs sont toujours récoltés.

En Allemagne, la Cistude d'Europe est considérée comme un plat raffiné. L'époque où la «véritable» soupe de tortue (à base de tor-

tue marine) était encore consommée comme un mets délicat dans le monde entier ne remonte après tout qu'à une dizaine d'années.

Certaines espèces de tortues marines ont eu à souffrir du fait que leur carapace comportait une écaille de grande dimension, très convoitée. Il y a quelques années seulement, on se la procurait d'une manière cruelle, en plongeant la tortue vivante dans l'eau bouillante, sur le dos, pour détacher l'écaille. Puis on rejetait à la mer l'animal ainsi scalpé, ébouillanté et toujours vivant.

Toutefois, certaines personnes ont toujours aimé les tortues de façon tout à fait désintéressée.

Ainsi, l'auteur J. F. Obst parle par exemple d'une Tortue-boîte que l'on captura en 1953 en Amérique. Sur son plastron était gravé le chiffre 1844.

Aujourd'hui, beaucoup de personnes dans le monde se préoccupent sérieusement des tortues et s'efforcent d'assurer leur reproduction en captivité. On trouve en France des associations d'herpétologie : c'est le cas de la Société Herpétologique de France, qui publie un bulletin d'information. REPTAS est une autre de ces associations : elle se consacre à l'étude, la protection et la terrariologie des reptiles et amphibiens.

Les musées et les jardins zoologiques ont également contribué à faire évoluer d'une manière positive la propagation des tortues. Aujourd'hui, sur la base de leurs expériences, la Tortue de Floride, très appréciée, peut être élevée dans des fermes.

Apprendre à reconnaître les tortues

Il n'est pas si rare qu'une tortue égarée atterrisse dans votre jardin, notamment en période de vacances. Si l'on ne peut identifier son propriétaire et si vous souhaitez conserver la tortue, vous devez absolument déterminer s'il s'agit d'une tortue terrestre, palustre ou d'eau douce. Cette distinction est importante, afin que vous puissiez la loger et la nourrir correctement.

Le tableau de la page 15 vous permettra généralement d'identifier sans difficulté le type de tortue dont il s'agit. Toutefois, on trouve des exceptions : les formes de carapaces décrites se rapportent à des animaux âgés de minimum deux ans, avec une carapace de 7 à 8 cm. Les tortues terrestres jeunes ou petites n'ont pas toujours une carapace de forme véritablement bombée.

C O N S E I L

▼

Pour savoir si vous avez trouvé une tortue terrestre, palustre ou d'eau douce, placez l'animal dans un enclos fermé avec de la terre et un point d'eau. Veillez à ce que le point d'eau n'ait pas une pente trop raide, pour que la tortue ne se noie pas.

Les jeunes Tortues léopard sont ravissantes, mais les adultes atteignent 70 cm de long !

Comparaison des tortues terrestres, palustres et d'eau douce

Caractéristiques	Tortue terrestre	Tortue palustre	Tortue d'eau douce
Forme de la carapace (animaux adultes)	Bombée de face ainsi que de profil (comme la coccinelle).	Intermédiaire entre la tortue terrestre et la tortue d'eau douce.	En général, paraît plate de face et de profil ; elliptique et aérodynamique.
Pattes	Les pattes arrière notamment ont une forme cylindrique, et font penser à un doigt replié. Ecailles cornées, en particulier sur les pattes avant.	Plates jusqu'à leur extrémité, en forme de pagaies, avec une peau souple, mobile, et de petites écailles minces dispersées sur la peau. Chez beaucoup d'espèces, les mâles ont de longues griffes aux pattes avant.	En forme de pagaies avec une peau dure, mobile, pas ou presque pas d'écailles.
Comportement (prévoir une partie émergée et un point d'eau)	Reste sur la terre, boit peu ou ne se baigne qu'une heure au maximum, sans jamais plonger longtemps le corps ou la tête.	S'approche rapidement du point d'eau et y reste des heures, nage ou plonge éventuellement ; puis finit par retourner à terre.	S'approche rapidement du point d'eau, reste immergée ou court sur le sol.

15

Réflexions préalables à l'acquisition

Afin que votre tortue soit en bonne santé et se sente bien chez vous, vous devez vous efforcer de répondre aux besoins de l'animal. Ci-après figurent quelques points sur lesquels il vous faudra absolument réfléchir avant d'acquérir une tortue.

Aide à la décision

1 N'oubliez pas qu'une tortue peut vivre jusqu'à 60 ans et plus.

2 Beaucoup de tortues terrestres et palustres ont besoin de soleil et d'air. Avez-vous la possibilité de laisser l'animal «prendre le frais» en été, dans le jardin ou sur un balcon (→ Les espèces favorites, page 30) ?

3 L'équipement nécessaire coûte cher, de même que les terrariums des tortues palustres et d'eau douce.

4 Beaucoup d'espèces de tortues ont besoin d'un repos hivernal, et parfois estival, pour rester en bonne santé (→ page 30). Cela exige d'énormes préparatifs.

5 Rappelez-vous également que les grands aquariums destinés aux tortues d'eau douce sont lourds. Un bassin de taille moyenne de 200 l, avec son socle et ses accessoires, pèse près de 250 kg.

6 Les tortues ne sont pas faites pour être cajolées. Beaucoup d'espèces ont une activité crépusculaire et nocturne, et passent la journée dans leur cachette.

7 Il n'est pas facile de nourrir une tortue avec des aliments variés. Même les aliments du commerce doivent être complétés par de la nourriture fraîche.

8 Si vous partez en voyage, mieux vaut laisser votre tortue à la maison. Connaissez-vous une personne fiable qui la soignera en votre absence ?

9 Les tortues ne provoquent pas d'allergies et conviennent donc aux personnes allergiques aux poils d'animaux.

10 Les tortues n'ont pas de maladies, ni de parasites transmissibles à l'homme. Presque toutes les tortues ont des salmonelles, mais celles-ci ne sont pas nuisibles pour l'homme.

Acquérir une seule tortue ou un couple ?

Les tortues sont naturellement solitaires et n'ont pas absolument besoin d'un ou d'une partenaire. Vous pouvez les

Une mère avec ses petits. Aujourd'hui, on est parvenu à faire se reproduire les Tortues rayonnées.

observer en liberté, rassemblées sur une rive ou sur un tronc d'arbre, en train de prendre un bain de soleil. Si elles se regroupent ainsi, il ne s'agit pas d'un besoin de vie sociale, mais simplement d'un manque de place. Dès que les tortues ont suffisamment pris le soleil, elles se séparent à nouveau.

En période de reproduction, elles deviennent provisoirement plus sociables, mais ne font à cette occasion que des «rencontres de hasard», qui durent peu de temps. Pour être certain que l'accouplement ait lieu, il faut savoir reconnaître les particularités sexuelles. En outre, il faut disposer d'un terrarium assez grand, et avoir la possibilité de séparer les couples aux périodes où ils ne se supportent pas, de faire éclore les œufs et d'élever les jeunes dans un terrarium séparé.

Différenciation sexuelle

Si vous cherchez un ou une partenaire approprié(e) pour votre tortue, choisissez de préférence des animaux adolescents ou adultes.

Plus la tortue est jeune, plus il est difficile, pour un profane, de déterminer son sexe.

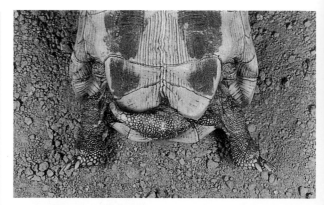

Chez de nombreuses espèces de tortues, les mâles ont une carapace plus concave que celle des femelles.

Les mâles ont en règle générale une queue plus longue et plus étroite à la base, et un cloaque plus proche de l'extrémité de celle-ci.

Les tortues mâles (en haut) ont une queue beaucoup plus longue que les femelles (en bas).

En cas de doute, demandez conseil à un éleveur expérimenté. Les Chrysémides peintes et les Tortues-boîtes ornées mâles peuvent être identifiées dès l'adolescence grâce à leurs griffes antérieures. Elles sont beaucoup plus longues que chez les femelles. En ce qui concerne leur taille, les mâles sont beaucoup plus petits que les femelles. Chez beaucoup d'espèces de tortues, la couleur des yeux permet aussi d'identifier le sexe de l'animal (→ pages 35 et 40).

L'hibernation

Les tortues qui proviennent de régions climatiques tempérées ne survivent à l'hiver que parce qu'elles hibernent pendant cette période froide, où la nourriture manque et où leur vie est menacée.

Dans la nature, les tortues terrestres s'enterrent sous les racines des arbres, par exemple dans des terriers de mammifères, ou tout autre endroit protégé du gel, pas trop humide, ni trop sec.

Les tortues palustres passent l'hiver au fond de l'eau, cachées dans la vase ou sous des racines (→ Hibernation page 65).

L'endroit le plus approprié pour l'hibernation d'une tortue terrestre domestique est une cave voûtée bétonnée. Il y règne un climat équivalent à celui qui règne dans la nature : une température relativement stable et fraîche, entre 0 et 12°C, et une humidité de l'air relativement élevée.

Les caves ordinaires non chauffées, et disposant d'une fenêtre qui peut rester ouverte en hiver, conviennent également très bien.

Si vous ne disposez pas d'une pièce de ce type, adressez-vous à votre cercle d'amis ou de connaissances. Quelqu'un aura sans doute de la place pour la caisse dans laquelle votre tortue hiberne.

Voici les lieux qui ne conviennent pas pour l'hibernation d'une tortue : les greniers, les abris de jardin, les serres ou les

Voici une tortue terrestre adulte et une jeune tortue.

balcons. En effet, les fluctuations de la température y sont trop importantes au début du printemps et à la fin de l'automne. De plus, dans ce type d'endroits, la tortue peut mourir de froid si l'hiver est très rigoureux.

Remarque : au besoin, il est possible de laisser une petite tortue hiberner dans le bac à légumes du réfrigérateur.

Les tortues et les autres animaux

Vous ne devriez pas laisser les tortues en présence d'autres animaux sans surveillance.

Pour les chiens et les chats, la tortue est une proie potentielle. Certes, un chien peut apprendre à considérer une tortue comme un «membre de la meute». Cependant, sans surveillance, des «accidents» peuvent survenir, et il est certain que la tortue n'aura pas l'avantage.

Même lorsqu'un chien est doté des meilleures intentions, par exemple s'il pousse une tortue à jouer, il peut la blesser avec ses griffes, notamment si celle-ci est jeune.

De même, un chat peut considérer qu'il joue, mais avoir une conduite dangereuse pour la tortue.

Les tortues sont-elles des animaux à cajoler ?

Non, car elles n'aiment pas qu'on les porte continuellement sur les bras. Cependant, si tu aimes observer un animal, une tortue te conviendra bien. Tu constateras par exemple que cet animal a un très bon odorat. Elle reniflera beaucoup tout ce qui est nouveau pour elle. Une tortue peut aussi être apprivoisée. Laisse-la souvent manger dans ta main. Essaie aussi de voir si elle aime être caressée sur la tête. En effet, beaucoup de tortues aiment cela. Ta tortue pourra également apprendre à venir vers toi lorsque tu l'appelles.

Les rongeurs comme les souris, les cochons d'Inde ou les lapins nains n'hésiteront pas à faire leurs dents sur une tortue. Cela peut avoir des conséquences mortelles si celle-ci est encore petite.

Les amateurs de serpents doivent savoir que les tortues sont porteuses de germes qui, s'ils sont sans danger pour les hommes, peuvent être mortels

Le franchissement d'obstacles est un exercice facile pour les tortues en bonne santé - comme cette Tortue d'Hermann.

pour des serpents. C'est pourquoi les propriétaires expérimentés de reptiles renoncent à posséder à la fois des serpents et des tortues.

Remarque : dans un enclos en plein air, situé dans le jardin ou sur le balcon, il est fréquent qu'une jeune tortue soit enlevée par des corneilles ou des pies (→ pages 62 et 63).

Enfants et tortues

Ce n'est que lorsqu'il a atteint un certain âge qu'un enfant est en mesure de comprendre les besoins et les exigences d'une tortue. Ses parents doivent néanmoins le guider d'une manière appropriée. L'important est avant tout de faire comprendre à l'enfant qu'une tortue est un animal sauvage qui, au début, se montrera craintif.

L'attraper, la sortir de son terrarium ou de son aquarium et la porter en permanence l'effraie.

<u>Expliquez à votre enfant</u> que ce n'est qu'en étant très patient et très attentionné vis-à-vis d'une tortue que celle-ci deviendra progressivement plus confiante. Elle peut même devenir si confiante qu'elle viendra vers vous de son plein gré si vous lui tendez une friandise, comme une fleur de pissenlit. Même les tortues d'eau douce grimpent avec plaisir sur la main, lorsqu'elles sont en confiance.

La tortue en vacances

C'est dans leur environnement familier que les tortues se sentent le mieux. Vous ne faites donc pas spécialement plaisir à votre animal lorsque vous l'emmenez en voyage.

Recherchez à l'avance une personne de confiance pour garder votre tortue en votre absence. L'idéal est de trouver quelqu'un qui soit déjà habitué aux tortues.

La check-list de la page 23 vous donnera des points de repère concernant les sujets à aborder avec la personne qui s'occupera de la tortue. Pour les cas d'urgence, il faut absolument que vous laissiez votre adresse de vacances et l'adresse du vétérinaire. Il n'est pas inutile d'indiquer aussi le téléphone d'un spécialiste.

CONSEIL

▼

L'âge d'une tortue ne peut être estimé avec une relative précision que chez un spécimen jeune. Si l'on connaît la taille définitive de l'animal, et si celui-ci a atteint à peu près un tiers de cette taille, il est âgé d'environ 3 ans. Au bout de trois nouvelles années, la tortue aura atteint les deux-tiers de sa taille définitive. On ne peut déterminer l'âge en fonction des anneaux de croissance de la carapace.

A l'aide de délicieux pissenlits, on peut rapidement apprivoiser la plupart des tortues.

Check-list pour la personne chargée de veiller sur vos tortues

Matériel	Expliquer comment identifier les dysfonctionnements. Montrer les astuces permettant de vérifier simplement le fonctionnement.
	Pompe filtrante, interrupteur horaire, éventuellement pompe à air : comment remédier aux pannes ? Indiquer les actions simples permettant de faire des réparations.
	Indiquer les travaux d'entretien réguliers (nettoyage du filtre).
	Préparer des ampoules de rechange. Dans le boîtier à fusibles, indiquer quelles installations électriques sont protégées par les fusibles.
	Eventuellement, préparer des pompes de remplacement ou déterminer avec le vendeur quel type de pompe convient au cas où il serait nécessaire de la remplacer.
Aliments	Etablir la quantité et la composition.
	Déterminer la fréquence et le moment des repas.
	(Laissez la personne qui vous remplace s'en occuper quelquefois en votre présence.)
Tortue	Indiquer son comportement habituel.
	Indiquer les éventuelles particularités de son comportement (voir pages 30 à 47).
	L'animal va-t-il hiberner, va-t-il pondre (voir pages 65 et 88) ?
	L'hibernation vient-elle de se terminer ?
	Les maladies qui peuvent survenir (voir pages 81 à 85).
	Laissez le numéro de téléphone et l'adresse d'un spécialiste qui pourra donner des conseils.
	Indiquez votre adresse de vacances et l'adresse d'un vétérinaire compétent.

Important : Informez la personne s'occupant de la tortue en votre absence des caractéristiques de celle-ci. Cet apprentissage devrait durer un an environ.

Questions juridiques

Protection des espèces

L'accord de Washington sur la protection des espèces traite des espèces animales et végétales menacées sur notre planète. Selon les menaces qui pèsent sur elles, plusieurs tortues ont été classées dans les catégories de protection I et II. Les animaux qui sont menacés d'extinction sont répertoriés dans l'Annexe I. L'achat ou la vente de ces animaux est soumis à une autorisation spéciale accordée à titre exceptionnel. Les autres tortues sont citées dans l'Annexe II de l'accord. Dans un objectif de préservation, la capture dans la nature des tortues non protégées ou qui figurent dans l'Annexe II est soumise à un contrôle.

Les tortues terrestres bien connues, comme la Tortue d'Hermann et la Tortue grecque ou encore *Testudo marginata*, ne sont pas répertoriées par l'accord de Washington comme des espèces menacées d'extinction, mais en Europe, elles sont protégées par d'autres lois. Ces tortues sont reprises dans la catégorie de protection la plus élevée. Toutefois, les animaux reproduits en élevage peuvent être vendus. Les tortues proposées dans le commerce remplissent les conditions légales de protection des espèces et peuvent donc être acquises légalement, avec les documents nécessaires.

Il faut tenir compte du fait que la législation et les catégories de la protection des différentes espèces de tortues sont constamment modifiées afin de tenir compte des modifications des caractéristiques des milieux naturels, notamment des changements au niveau des biotopes.

Avant d'acquérir une tortue, vous devriez vous informer pour savoir si l'achat de cet animal est autorisé.

Contrat de vente

Dans toute animalerie bien gérée, il est aujourd'hui normal qu'un certificat de vente détaillé soit remis à l'acheteur. Dans ce contrat doivent figurer : la date de l'achat, le prix de vente et les signatures du vendeur et de l'acheteur. Le sexe de la tortue doit également être mentionné si celui-ci a une importance pour l'acheteur.

Toute personne qui achète une tortue conclut un contrat de vente avec le vendeur. Ce contrat ne doit pas nécessairement être écrit, car un contrat oral est également valide.

Si, après la remise de la tortue à l'acheteur, il est constaté que la tortue est affectée d'une maladie, l'acheteur peut faire valoir ses droits de garantie et annuler le contrat ou obtenir une baisse du prix de l'animal. Pour cela, il faut que l'animal soit déjà malade au moment de l'achat. Lorsqu'il s'agit de maladies infectieuses, le début de la maladie est difficile à déterminer; seuls des vétérinaires spécialisés sont compétents. Pour faire valoir valablement son droit de garantie, l'acheteur doit le faire dans les six mois suivant l'achat de l'animal.

Les enfants et les adolescents (jusqu'à leur seizième année révolue) devraient bien réfléchir avant d'acheter une tortue. En effet, sans l'autorisation de leur tuteur, en général les parents, les enfants n'ont pas le droit d'en acheter une. Si les parents n'autorisent pas l'achat d'une tortue, le vendeur est tenu de reprendre l'animal et de le rembourser.

Droit locatif

Si dans le bail ne figure aucune mention concernant la possession d'animaux, on peut en principe en déduire que les animaux domestiques habituels sont autorisés. La possession d'animaux fait, en effet, aujourd'hui partie d'un mode de vie normal et d'une utilisation contractuelle de l'appartement loué, tant que les animaux n'occasionnent pas de nuisances (en France, depuis la loi Thome-Patenôtre de 1970, les propriétaires n'ont plus le droit d'interdire aux habitants d'une maison ou d'un appartement d'avoir un animal domestique). Cette règle est d'autant plus fondée dans le cas des tortues, qui ne sont pas des animaux susceptibles de provoquer des troubles de voisinage, gêne, ou bruits importunant les autres locataires. En outre, les tortues ne peuvent causer des dommages importants à l'appartement. Le locataire n'a donc pas besoin d'une autorisation expresse pour posséder une

tortue, surtout lorsque l'animal est gardé en terrarium.

Animal trouvé

Les tortues qui se sont échappées doivent être considérées comme des «objets trouvés». Il faut donc les emmener dans un poste de police ou au bureau des objets trouvés. Ce n'est que lorsque l'on a présenté l'animal trouvé aux autorités que l'on peut , au cas où son propriétaire ne se manifesterait pas, en revendiquer la propriété. Mais une personne qui conserve un animal qu'elle a trouvé n'en devient pas propriétaire de droit.

Protection de l'animal

Les tortues gardées en terrarium doivent être soignées d'une façon qui corresponde à leur espèce et à leur comportement. Cela ne signifie pas seulement qu'il faut leur donner une alimentation appropriée, mais aussi que l'environnement du terrarium doit être adapté à leur espèce. Cela signifie aussi bien changer régulièrement l'eau des tortues d'eau douce qu'équiper convenablement leur terrarium.

Les rivières et les lacs constituent le milieu naturel de *Clemmys caspica rivulata*

Conseils pour l'achat

Peu importe que votre tortue provienne d'un achat, d'un échange ou qu'elle vous ait été offerte. Vous devez vérifier si l'animal appartient à une espèce protégée (→ Protection des espèces, page 24). On ne peut le savoir que si l'on connaît le nom scientifique de la tortue. Il faut donc absolument que ceci vous soit certifié. Ainsi, vous aurez la preuve écrite que vous avez bien obtenu votre tortue légalement.

Où trouver des tortues

Animalerie : vous pouvez acheter sans crainte les tortues des animaleries. Si la tortue appartient à une espèce protégée, on doit vous remettre sans faute les documents

CITES correspondants, la «carte d'identité de la tortue». Cependant, il vous faudra être prudent, s'il s'agit d'une espèce non protégée. Ne l'achetez jamais sur un coup de tête. Faites-vous au préalable indiquer le nom de la tortue et renseignez-vous sur la façon dont on la soigne, avant de l'acheter. Ainsi, on propose souvent la Rhinoclemmyde peinte, qui ne survit presque jamais en captivité (→ page 37).

De plus, certaines espèces atteignent une taille extrêmement importante et d'autres, qui sont proposées en couple, sont faites pour être solitaires, comme la Tortue molle et la Tortue happeuse (→ page 83).

Un tronc renversé permet aux tortues palustres de prendre le soleil.

Photo à gauche : la Tortue d'Horsfield paraît fine et sportive.

Eleveurs : vous trouverez aussi des espèces de tortues protégées bénéficiant du certificat CITES, et que vous pouvez acheter en toute confiance. Les éleveurs font souvent paraître des annonces dans les revues d'aquariophilie (→ adresses page 125).

Il vaut toujours mieux que vous vous fassiez votre propre idée de la façon dont un éleveur élève les animaux, de leur environnement et de leurs «quartiers d'hiver». Il faut aussi que l'on vous montre les parents.

Remarque : si vous ne trouvez pas la tortue que vous souhaitez en animalerie, vous pouvez la «commander» chez un éleveur. Ainsi, vous aurez le temps d'aménager un environnement adapté pour celle-ci et de vous informer sur ses besoins.

27

Moment idéal pour l'achat

Le moment qui convient le mieux pour acheter une tortue est l'été. Il vaut mieux éviter de l'acheter avant le mois de mai et après le mois de septembre. Pour les espèces de tortues qui hibernent, leur acquisition à l'automne présente des risques importants. Un novice ne peut en effet évaluer si une tortue apathique s'apprête simplement à hiberner ou si elle est malade. Si vous avez effectivement acheté un animal malade et que vous le faites hiberner, la tortue ne vivra peut-être pas jusqu'au printemps.

Il ne faut pas non plus acheter une tortue qui vient de sortir de son sommeil hivernal. En effet, si celle-ci s'est endormie alors qu'elle était atteinte d'une légère affection, celle-ci peut se révéler dans les quatre à huit semaines qui suivent le réveil.

Les espèces des régions tropicales n'hibernent pas. En choisissant une tortue parmi ces espèces, ayez toujours à l'esprit le fait qu'elles sont très sensibles aux courants d'air. En hiver, il faut absolument les transporter dans de bonnes conditions de chaleur et de sécurité (→ photos pages 106/107).

Photo du haut : la résistance de la carapace d'une jeune tortue est évaluée par une légère pression. Elle doit être résistante, mais néanmoins élastique.

Photo du bas : une tortue en bonne santé s'agite pour se défendre dans ce type de situations.

Bilan de santé de la tortue

	Tortues terrestres	Tortues palustres et d'eau douce
Carapace saine	Jeunes animaux jusqu'au 1/3 de la taille définitive : carapace élastique et ferme comme l'ongle du pouce. Animaux âgés : carapace dure et ferme. Toutes les plaques cornées sont fermes et intactes.	Tortues palustres : voir tortues terrestres. Tortues molles : carapace semblable à du cuir, propre, dépourvue de fentes, de coupures, d'ouvertures (inspecter la zone ventrale et les côtés !).
Carapace malade	Animaux jeunes et âgés : la carapace se craquèle sous la pression. Animaux âgés : Carapace ferme, mais déformée. Eléments de la carapace fortement bombés. Plastron : trous dans les plaques cornées, rosées, vésicules aqueuses.	Tortues palustres : voir tortues terrestres. Tortues molles : peau semblable à du cuir, dépressions bordées de blanc et de taches ; blessures plus importantes bordées de blanc, voire coupures.
Peau saine	Excepté les pattes et le cou fortement écailleux, peau souple et élastique comme du cuir.	Tortues palustres : semblable à du cuir, molle et élastique. Tortues d'eau douce : molle, élastique, lisse et intacte.
Peau malade	Boursouflures ; affection due à des tiques ou la gale ?	Tachetée ou comportant des plaques rosées, avec duvet cotonneux (champignons).
Yeux sains	Clairs, blancs, bien ouverts.	
Yeux malades	Cornée trouble, paupières closes, gonflées.	
Voies respiratoires saines	Sèches, pas de boursouflures, pas de bruit quand elle respire.	
Voies respiratoires malades	Vésicules nasales et buccales ; respiration bruyante.	Voir tortues terrestres ; éventuellement nage inclinée sur le côté.
Déplacements	L'animal utilise ses quatre pattes pour se déplacer ; il ne traîne pas les pattes arrière (affection nerveuse !).	
Vitalité	L'animal s'agite vigoureusement pour se défendre ou se retire rapidement dans sa carapace.	

Les espèces favorites

Dans les pages suivantes, vous trouverez la description d'espèces de tortues que l'on trouve fréquemment en animalerie ou chez les éleveurs.

Structure des fiches descriptives

Ce chapitre présente d'abord les tortues terrestres puis les tortues d'eau douce ou palustres.

Pour chaque espèce traitée, vous trouverez des informations sur la taille, la répartition géographique, l'habitat et le comportement de l'animal. Sous le titre «Soins», je vous donne quelques instructions concernant les soins à apporter à l'espèce concernée. La température maximale indiquée ne doit pas être maintenue plus de 6 heures par jour. Vous trouverez de la page 50 à la page 63 des conseils précis pour aménager correctement un abri en fonction de l'espèce de la tortue.

Les indications concernant la nourriture, présentées dans les différentes fiches, signalent simplement si la tortue est plutôt herbivore ou plutôt carnivore. Je vous recommande de lire à ce sujet le chapitre «Importance d'une alimenta-tion variée», page 70.

Sous le titre «Hibernation», j'indique simplement si la tortue a besoin ou non d'hiberner ou d'estiver. Pour savoir comment procéder, vous pouvez lire la page 65 et les suivantes.

Tortue d'Hermann

Testudo hermanni
Taille : jusqu'à 20 cm.
Répartition : Grèce, Balkans jusqu'au Danube.
La sous-espèce *Testudo hermanni hermanni* vit au sud de l'Italie. La sous-espèce *Testudo hermanni robertmertensi* vit au centre et au nord de l'Italie, aux Baléares, en Corse, en Sardaigne, dans le sud de la France et l'est de l'Espagne.
Milieu naturel : terrains step-piques en friche, parsemés de pierres et de rares buissons, très ensoleillés et peu ombragés. La tortue se cache dans des anfractuosités du sol.
Comportement : active le jour, aime grimper et creuser ; si on la soigne bien, elle est très éveillée.
Soins : terrarium ou enclos en plein air ; température moyenne ambiante de 18°C (la nuit) à 26°C (le jour). Sans châssis vitré (→ page 60), la tortue peut vivre en plein air en juin, juillet et août. Avec un châssis

La Tortue d'Hermann utilise cet auget pour boire, mais aussi pour se baigner.

vitré, c'est également possible en mai et en septembre.

Pendant les journées plus froides, l'absence de soleil doit être compensée par une lampe (→ page 61).

En plus de la période d'hibernation, cette tortue doit être installée en terrarium en automne et au printemps.

<u>Nourriture :</u> feuilles, graminées et plantes, foin en automne (sans oublier l'eau !).

<u>Hibernation :</u> oui ; même au cours de sa première année !

Tortue grecque

Testudo graeca

<u>Taille :</u> 30 cm et plus.

<u>Répartition :</u> sud de l'Europe, Iran, Egypte, Libye, Maroc. Il existe 4 sous-espèces qui demandent des soins identiques.

<u>Milieu naturel :</u> terrains steppiques en friche, parsemés de

31

pierres. La tortue se cache dans des anfractuosités du sol. Comportement : active le jour, éveillée, aime grimper et creuser.

<u>Soins</u> : terrarium ou enclos en plein air ; température ambiante moyenne de 18 (la nuit) à 26°C (le jour). Sans châssis vitré, la tortue ne peut vivre en plein air que de juin à août, avec un châssis vitré, c'est également possible en mai et en septembre. Pendant les journées plus froides, installez des lampes. En plus de la période d'hibernation, la tortue doit être installée en terrarium en automne et au printemps.

<u>Nourriture</u> : feuilles, graminées et plantes, foin en automne.

<u>Hibernation</u> : oui.

Tortue marginée

Testudo marginata
<u>Taille</u> : Environ 30 cm.
<u>Répartition</u> : sud de la Grèce, établie en Sardaigne.
<u>Milieu naturel</u> : pentes ensoleillées avec herbes et buissons.
<u>Comportement</u> : active le jour, aime grimper et creuser.
<u>Soins</u> : terrarium et enclos en plein air ; température moyenne ambiante de 18 (la nuit) à 26°C (le jour). Sans châssis vitré, la tortue peut vivre en plein air de juin à août. Avec un châssis vitré, c'est égale-

A gauche, une Tortue grecque adulte, à droite une Tortue marginée.

La Tortue marginée aime les sols chauds et meubles en été.

La Tortue d'Horsfield, ou tortue russe, creuse des galeries souterraines pouvant atteindre 12 m.

ment possible en mai et en septembre.
Pendant les journées plus froides, installez une lampe. Cette tortue doit être installée en terrarium en automne et au printemps.
<u>Nourriture</u> : feuilles, graminées et plantes, foin en automne (sans oublier l'eau !).
<u>Hibernation</u> : oui.
<u>Spécificité</u> : les Tortues grecques et les Tortues marginées peuvent s'accoupler. Evitez ce type de croisements pour protéger les espèces.

Tortue d'Horsfield
Testudo horsfieldii
<u>Taille</u> : jusqu'à 20 cm.

<u>Répartition</u> : est de la Mer Caspienne, de l'Iran au Pakistan dans les déserts et les montagnes.
<u>Milieu naturel</u> : terrains en friche, karstiques avec des sols secs sableux et argileux. Se cache dans des anfractuosités du sol.
<u>Soins</u> : terrarium et enclos en plein air ; température ambiante de 18°C (la nuit) à 26°C (le jour). Sans châssis vitré (→ page 60), la tortue peut vivre en plein air de juin à août. Avec un châssis vitré, c'est également possible en mai et en septembre. Pendant les journées plus froides, installez une lampe (→ page 61). Cette tortue doit être installée en terrarium au printemps et en automne.
<u>Comportement</u> : active le jour, aime grimper et creuser.
<u>Nourriture</u> : feuilles, graminées et plantes, foin en automne.
<u>Hibernation</u> : oui.
<u>Particularité</u> : connaît parfois

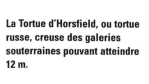

une période d'estivation de 4 à 5 semaines.

Kinixys de Bell

Kinixys belliana
Taille : 20 cm.
Répartition : Afrique centrale et du Sud, Madagascar.
Milieu naturel : paysages steppiques au sous-sol sec, avec des étendues de sable et de gravier.
Comportement : active le jour.
Soins : terrarium et enclos en plein air; température ambiante de 20 (la nuit) à 30°C (le jour). La tortue ne peut vivre en plein air que par beau temps, entre juin et août.
Nourriture : graminées, plantes et fruits.
Hibernation : non, mais il y a parfois des exceptions.
Particularité : articulation de la dossière fermant la partie postérieure.

Kinixys de Home

Kinixys homeana
Taille : 20 cm.
Répartition : Afrique de l'Ouest.

Milieu naturel : forêt vierge tropicale avec un sol à végétation luxuriante et riche en humus.
Comportement : active le jour.
Soins : terrarium avec un microclimat tropical (humidité de l'air supérieure à 70%), température ambiante de 24°C (la nuit) à 30°C (le jour).
Conseil : le sol ne doit pas moisir. L'air doit toujours être frais et sentir bon. Il faut pour cela avoir une bonne aération et l'animal doit disposer d'un coin bien humide, dans lequel

La Kinixys de Bell vit dans la steppe africaine.

La Kinixys de Home aime les sols souples, humides et chauds des forêts vierges.

La Tortue-boîte mâle possède des yeux d'un rouge brillant.

il puisse se terrer.
Nourriture : graminées, plantes et fruits.
Hibernation : Non.
Particularité : articulation de la dossière fermant la partie postérieure.

Tortue-boîte ornée

Terrapene ornata
Taille : jusqu'à 15 cm.
Répartition : Etats-Unis, entre les affluents de l'ouest du Mississippi.
Milieu naturel : prairies ; sols sableux, semi-humides avec des buissons, à proximité de l'eau. Cette tortue se cache dans des anfractuosités du sol.
Comportement : active le matin et le soir. Se retire dans des anfractuosités pendant la journée.
Soins : terrarium et enclos en plein air ; température ambiante : de 18 (la nuit) à 28°C (le jour). La tortue peut vivre en plein air de juin à août. Il faut l'installer en terrarium en automne et au printemps. La tortue aime le soleil matinal et vespéral.
Nourriture : se nourrit de viande (escargots), plantes, champignons. Se nourrit également sans problème de champignons vénéneux.
Hibernation : oui, dès la première année.
Spécificités : la charnière de son plastron permet «d'emboîter» les parties antérieures et postérieures de la carapace en les rapprochant. Les sexes se distinguent par une couleur des yeux différente. Chez toutes les Tortues-boîtes, l'iris des mâles va du brun rouge à l'orangé et celui des femelles du blanc jaunâtre au jaune. Cette tortue devrait être réservée aux propriétaires de tortues qui ont déjà une certaine expérience.
Il est possible de croiser différentes espèces de Tortues-boîtes, mais il vaut mieux l'éviter afin de protéger ces espèces.

Tortue charbonnière

Testudo carbonaria / Geochelone carbonaria

Taille : jusqu'à 50 cm (!).

Répartition : Amérique du Sud tropicale.

Milieu naturel : forêt vierge avec un sol à végétation luxuriante et riche en humus.

Comportement : active le jour.

Soins : terrarium avec une humidité de l'air supérieure à 70%, température ambiante de 24°C (la nuit) à 30°C (le jour).

Remarque : le sol ne doit pas moisir. L'air doit être frais et sentir bon. Il faut pour cela avoir une bonne aération et l'animal doit disposer d'un coin bien humide, dans lequel il puisse se terrer.

Nourriture : graminées, plantes et fruits.

Hibernation : non.

Kinixys rongée

Kinixys erosa

Taille : jusqu'à 30 cm.

Répartition : Afrique de l'Ouest.

Milieu naturel : forêt vierge tropicale avec sol riche en humus.

Comportement : active le jour.

Soins : terrarium avec une humidité de l'air supérieure à 70%, température ambiante de

24°C (la nuit) à 30°C (le jour).

Remarque : le sol ne doit pas moisir. L'air doit être frais et sentir bon. Il faut pour cela avoir une bonne aération et l'animal doit disposer d'un coin bien humide, dans lequel il puisse se terrer.

Nourriture : graminées, herbes

Photo du haut : si la Tortue charbonnière est bien soignée, elle affiche de belles couleurs vives.

Photo du bas : la Kinixys rongée possède une dossière articulée dans sa partie postérieure qui la protège.

Photo du haut : la Rhinoclemmyde peinte est extrêmement difficile à soigner.

Photo du bas : la Platémyde à tête plate aime les «excursions», mais elle fait partie des espèces difficiles à élever.

aromatiques, et fruits.

Hibernation : non.

Les espèces suivantes sont souvent considérées comme des tortues terrestres, car elles se rendent plus fréquemment sur la terre que les autres tortues palustres :

■ Rhinoclemmyde peinte (*Rhinoclemmys pulcherrima,*

également appelée *Geoemysa pulcherrima (manni))*. Elle présente plusieurs sous-espèces.

■ *Cyclemys mouhoti* (autrefois appelée *Pyxidea mouhoti*).

■ Platémyde à tête plate (*Platemys platycephala*).

■ Les espèces d'Héosémydes asiatiques. Malheureusement, la Rhinoclemmyde peinte est fréquemment vendue dans le commerce, bien que même des scientifiques expérimentés n'aient jamais réussi à la maintenir longtemps en captivité. Il est important de respecter les conditions suivantes, afin d'éviter de faire souffrir inutilement les tortues.

Abri : aquaterrarium avec 1/3 d'eau et 2/3 de terre ; température de l'eau : 27°C ; température ambiante : 27 à 28°C. Une lampe infrarouge maintient une température de 36°C dans un coin du terrarium. Dans les aquaterrariums recouverts, l'humidité de l'air doit être comprise entre 85 et 95%. Il faut absolument veiller à ce qu'il n'y ait pas de processus de décomposition, comme la formation de compost ou de moisissures.

Remarque : certaines tortues citées ci-dessus font l'objet d'une description plus détaillée dans les fiches sur les tortues palustres ci-après (→ page 46/47).

Tortue musquée

Sternotherus odoratus
Taille : jusqu'à 15 cm.
Répartition : Etats-Unis (Floride) jusqu'au sud du Canada.
Milieu naturel : eaux calmes, avec de nombreuses herbes.
Comportement : active le jour et la nuit, mange beaucoup ; mauvaise nageuse.
Soins : aquaterrarium et étang de jardin ; pour les tortues du nord des Etats-Unis, l'eau doit atteindre 20 à 25°C, pour celles du sud, 23 à 28°C. La température ambiante doit être de 24 à 28°C. En étang de jardin de juin à août, et de mai à septembre pour l'espèce du nord.
Nourriture : aliments carnés.
Hibernation : oui/non, selon l'origine.
Particularité : installez dans le terrarium des racines, des pierres et également des cordes en sisal (avec un diamètre de 6 cm!) pour permettre à la tortue de grimper. Veillez à ce que les bords de l'étang soient plats. L'animal libère une sécrétion à odeur forte (musc) lorsqu'il est énervé.
Les soins sont les mêmes pour les espèces suivantes :
■ La Cistude caspica, *Clemmys caspica rivulata*, peut atteindre 20 cm, habite dans les lacs et les rivières, est carnivore ; le besoin d'hibernation est à évaluer en fonction du comportement.

La Tortue musquée ne nage pas particulièrement bien. Dans l'eau, elle a besoin de reposer sur ses pattes.

La Clemmyde sculptée, originaire du nord des Etats-Unis, se sent également bien sous nos latitudes.

Cette Tortue de Floride, toujours sur ses gardes, disparaît dans l'eau à la vitesse de l'éclair.

■ La Cistude d'Europe, *Emys orbicularis*, peut atteindre 25 cm, vit dans les zones marécageuses, est carnivore et doit hiberner.
Particularité : l'espèce est très protégée en Europe centrale. Les sous-espèces d'Europe du Sud-Est ne doivent pas être déplacées à cause du risque de perte des caractéristiques de l'espèce.

Clemmyde sculptée

Clemmys insculpta
Taille : mâle 13 cm, femelle jusqu'à 23 cm.
Répartition : Etats-Unis, région des grands lacs jusqu'en Nouvelle-Ecosse.
Milieu naturel : ruisseaux et

rivières frais, marais et prairies marécageuses.
Soins : terrarium et/ou plein air avec abri ; la température ambiante correspond à un climat d'Europe centrale. Peut être gardée en plein air d'avril à octobre sans abri, et avec un abri chauffant entre début mars et fin octobre.
Comportement : active le jour ; escalade des clôtures relativement hautes, intelligente, aime séjourner à terre.
Nourriture : escargots, vers, coléoptères, baies et fruits.
Hibernation : oui. Hiberne dans l'eau ou s'enterre. Refroidissez l'aquaterrarium et laissez l'animal faire son choix.
Particularités : longues parades nuptiales et agressivité entre les mâles. Est réservée aux amateurs expérimentés.
Les soins sont les mêmes pour l'espèce suivante :
■ Emyde de Blanding : *Emydoidea blandingui*, mâles jusqu'à 13 cm, femelles jusqu'à 27 cm. Etangs et marais peu profonds à fonds boueux, nord et nord-est des Etats-Unis. Reste relativement craintive.

Tortue de Floride

Chrysemys (Pseudemys) scripta elegans
Taille : jusqu'à 25 cm.

Répartition : sud des Etats-Unis, est et ouest du Mississippi.

Milieu naturel : eaux calmes, avec végétation abondante.

Soins : aquarium et étang ; en aquarium, température de l'eau de 26 à 28°C, température ambiante de 26 à 32°C.

Peut rester en étang de juin à août. Le reste du temps, en dehors de la période d'hibernation, se garde en terrarium.

Comportement : active le jour, aime les endroits ensoleillés au-dessus de l'eau, nageuse rapide.

Nourriture : les jeunes sont carnivores, et deviennent également végétariens en vieillissant.

Hibernation : oui, même au cours de la première année d'existence. Ne jamais la laisser dans l'étang l'hiver !

Les soins sont les mêmes pour les espèces suivantes :
■ *Chrysemys troosti*, taille atteignant 25 cm.
■ *Chrysemys concinna hieroglyphica*, 40 cm.

Clemmyde à gouttelettes

Clemmys guttata

Taille : jusqu'à 12 cm.

Répartition : dans l'est et le nord-est des Etats-Unis.

Milieu naturel : prairies maré-

cageuses et cours d'eau lents.

Comportement : active le jour, si l'eau est assez chaude. Reste souvent immergée ; prend volontiers un bain de soleil si l'eau est froide.

Soins : aquarium et enclos en plein air ; température de l'eau de 22 à 27°C, température ambiante de 22 à 28°C. Ne la placez dans l'étang que pendant les journées ensoleillées de juin à août (sa température corporelle doit atteindre 36°C).

Nourriture : aliments carnés.

Hibernation : oui.

Particularité : les mâles ont les yeux bruns et les femelles jaunes. Selon l'origine, la durée de l'hibernation est variable. Lisez la page 65 relative à l'hibernation.

Une Clemmyde à gouttelettes à la recherche de nourriture. Récemment, elle avait trouvé ici de délicieux escargots d'eau douce.

Chine du Sud-Est.
Milieu naturel : eaux douces et saumâtres.
Comportement : active le jour.
Soins : aquarium et étang ; aquarium avec éléments à escalader permettant de remonter en surface, car cette tortue est mauvaise nageuse. En étang, de juin à août, uniquement pendant les journées chaudes, lorsque l'eau atteint 27°C. Température ambiante de 24 à 28°C.
Nourriture : aliments carnés.
Hibernation : non.
Les soins sont les mêmes pour les espèces suivantes :
■ Kachuga de Smith, *Kachuga smithii*, vit dans les bassins de l'Indus et du Gange, herbivore, pas d'hibernation.
■ *Emydura albertisii*, vit en Nouvelle-Guinée et en Australie ; omnivore.

Tortue du Mississippi

Graptemys kohnii
Taille : jusqu'à 25 cm.
Répartition : sud des Etats-Unis.
Milieu naturel : petites étendues d'eaux calmes, chaudes, avec de la végétation, et riches en insectes et en poissons.
Comportement : active le jour.
Soins : aquarium avec îlot pour bain de soleil, en liège

Photo du haut : la Chinémyde de Reeves possède trois carènes sur la dossière de sa carapace.

Photo du bas : Tortue du Mississippi.

N'en prenez qu'une, car même un couple ne se supporte pas s'il n'y a pas assez de place.

Chinémyde de Reeves

Chinemys reevesii
Taille : jusqu'à 17 cm.
Répartition : Indonésie, Japon,

par exemple ; en étang, par les chaudes journées d'été uniquement. La tortue doit pouvoir atteindre une température de 36°C au soleil. Température de l'eau de 22 à 28°C, température ambiante de 22 à 28°C.

Remarque : la présence d'une plate-forme pour se chauffer au soleil en dehors de l'eau est essentielle !

Nourriture : végétale, et 30 à 50% d'aliments carnés.

Hibernation : oui/non. Déterminez si l'hibernation est nécessaire en observant le comportement de l'animal (voir page 65).

Les soins sont les mêmes pour les espèces suivantes :

■ *Mauremys (Clemmys) caspica leprosa* peut atteindre 25 cm. Vit dans les fleuves d'Espagne, du Portugal et d'Algérie.

■ Graptémyde pseudo-géographique, *Graptemys pseudogeographica*, taille atteignant 25 cm. Vit dans les cours d'eau fertiles des Etats-Unis et se répartit en 4 sous-espèces. Végétarienne avec 30 à 50% d'aliments carnés. Voyez si l'hibernation est nécessaire en observant la tortue (→ page 65).

■ Emyde caspienne orientale, *Mauremys caspica caspica*, atteint jusqu'à 25 cm. Vit dans

les cours d'eau à faible courant au sud de la mer Caspienne et se répartit en trois sous-espèces. Herbivore avec 30 à 50% d'aliments carnés. Déterminez si l'hibernation est nécessaire en observant la tortue.

Photo du haut : La Tortue-boîte à bords jaunes se soigne comme la Tortue-boîte d'Asie orientale.

Photo du bas : Emyde dentelée à trois carènes.

Il faut remonter tout de suite à la surface de l'eau. La Tortue-boîte d'Asie orientale a besoin d'air frais.

Tortue-boîte d'Asie orientale

Cuora amboinensis
Taille : jusqu'à 20 cm.
Répartition : Asie du Sud-Est.
Milieu naturel : cours d'eau ou étendues d'eau calme avec rives plates. Cette tortue se rend également volontiers à terre.
Comportement : active le jour. Cette tortue est une mauvaise nageuse.
Soins : aquaterrarium avec éléments à escalader permettant de remonter à la surface, comme des pierres, des racines ou des cordes en sisal. La partie émergée doit représenter 30 à 40%. Température de l'eau de 24 à 30°C, température ambiante de 26 à 30°C.
Remarque : une baisse, même momentanée, de la température en dessous de 18°C peut altérer la santé de l'animal !
Nourriture : mixte.
Hibernation : non.
Les soins sont les mêmes pour l'espèce suivante :
■ Tortue-boîte à bords jaunes, *Cuora flavomarginata* (→ photo en haut de la page 42). On la trouve aux Philippines et aux Célèbes.

Emyde dentelée à trois carènes

Siebenrockiella crassicollis
Taille : jusqu'à 20 cm.
Répartition : Asie du Sud-Est, forêt vierge tropicale et savane.
Milieu naturel : mares, étangs et cours d'eau de tout type.
Comportement : active le jour, tempérament calme.
Soins : aquarium avec éléments à escalader permettant de remonter à la surface, comme des racines, des pierres ou des cordes en sisal. Température de l'eau et température ambiante de 24 à 30°C.
Nourriture : aliments carnés et verdure à parts égales.
Hibernation : non.

Trionyx épineux

Trionyx spiniferus, aujourd'hui *Apalone spinifera* (→ photo page 44)

Il existe 23 espèces de Trionyx dans le monde. Les espèces les plus fréquemment rencontrées proviennent des Etats-Unis (*Trionyx ferox, Trionyx spiniferus*).

Taille : mâles 15 cm, femelles jusqu'à 45 cm !

Faites très attention à l'espèce et à la provenance ! Ces tortues molles africaines peuvent atteindre jusqu'à 60 cm. Elles peuvent causer des morsures douloureuses.

Répartition : principalement dans le centre et l'est des Etats-Unis.

Milieu naturel : cours d'eau marécageux, lacs.

Comportement : active le jour.

Soins : aquarium, et étang de juin à août. Température de l'eau de 22 à 27°C, température ambiante correspondant à celle de l'eau. Sable fin au fond de l'aquarium (sable de rivière, jamais de sable «coupant», ou morceau de mousse de nylon). Installez un îlot pour se chauffer au soleil (→ page 55) !

Nourriture : aliments carnés (y compris des escargots d'eau douce).

Hibernation : oui/non. Cela dépend de l'origine de la tortue et de son comportement (→ page 65).

Remarque : prenez une seule tortue. Sa carapace est très fragile, et ses blessures sont difficiles à soigner. Son eau doit être bien propre. Les morsures

Le Trionyx épineux ne possède plus qu'une sorte de «bouclier de cuir» en guise de carapace.

La Chrysémide peinte peut rester dans l'étang du jardin entre juin et août.

TORTUES PALUSTRES ET D'EAU DOUCE

Accouplement de Tortues à cou de serpent. Dans l'eau, les nageoires placées entre les doigts sont visibles.

Photo de droite : la jeune Tortue à cou de serpent éclôt au bout de trois mois.

des adultes peuvent vous coûter un doigt !

Chrysémide peinte

Chrysemys picta
Taille : jusqu'à 25 cm.
Répartition : Etats-Unis, à l'est du Mississippi, et, plus au nord, aussi à l'ouest du fleuve.
Milieu naturel : eaux calmes, riches en végétation.
Comportement : active le jour; alterne constamment entre la recherche de nourriture et les bains de soleil.
Soins : aquarium et étang ; température de l'eau de 20 à 25°C, température ambiante de 20 à 25°C. Dans l'aquarium, installez des lampes pour réchauffer la partie émergée («îlot», en bois par exemple). Installez la tortue dans l'étang

de juin à août.
Nourriture : aliments carnés et verdure à parts égales.
Hibernation : oui, dès la première année.

Tortue à cou de serpent

Chelodina longicollis
Taille : jusqu'à 30 cm.
Répartition : est de l'Australie.
Milieu naturel : cours d'eau calmes et lents, rives plates. Se rend provisoirement à terre lorsqu'il pleut.
Comportement : active le jour, bonne nageuse, peut être agressive en période d'accouplement.
Soins : aquarium particulièrement grand ; température de l'eau de 23 à 28°C, température de l'air de 24 à 28°C.
Nourriture : aliments carnés.
Hibernation : non.
Particularité : cette tortue abrite sa tête et son cou en les rentrant entre le plastron et la dossière selon un mouvement latéral («pleurodires»).

45

Cinosterne rougeâtre

Kinostermon subrubrum
Taille : jusqu'à 12 cm.
Répartition : Etats-Unis, bassin du Mississippi et affluents, côte est.
Milieu naturel : cours d'eau calmes et riches en végétation, avec des rives plates.
Comportement : active tôt le matin et le soir.
Mauvaise nageuse, qui reste longtemps sur le sol. Elle est agressive avec ses congénères, donc ne prenez qu'un seul animal.
Soins : aquaterrarium et étang. L'aquaterrarium doit être constitué d'une moitié de terre et d'une moitié d'eau, ainsi que de rives plates, faciles à escalader. Installez-la dans l'étang de fin mai à septembre. Température de l'eau de 23 à 24°C, température ambiante de 22 à 28°C.
Nourriture : jeunes tortues : 50% d'insectes aquatiques et 50% de verdure tendre (plantes de l'étang, salade humide).
Tortues adultes : aliments carnés et verdure à parts égales.
Hibernation : oui/non, selon l'origine. Déterminez la nécessité d'hiberner en fonction du comportement (voir page 65).
Particularité : une charnière

autour du plastron permet de fermer la carapace.
Cette tortue peut libérer une sécrétion à l'odeur forte. On distingue les mâles âgés des femelles par la taille de la griffe cornée de leur queue, semblable à un ongle.

La Tortue-boîte à trois carènes vit principalement dans l'eau lorsqu'elle est jeune, puis sur la terre.

Tortue-boîte à trois carènes

Pyxidea mouhoti
Taille : jusqu'à 18 cm.
Répartition : Viêt-nam, Laos.
Milieu naturel : cours d'eau de la forêt vierge tropicale.
Comportement : les jeunes vivent de préférence dans l'eau, les animaux plus âgés préfèrent se tenir à terre. Ils s'enfouissent dans un terreau de feuilles humide et apprécient le couvert végétal dense.
Soins : aquaterrarium ; température de l'eau de 23 à 25°C, température ambiante de 23 à 25°C, température du sol

Photo du haut : la Géoémyde de Spengler aime les cours d'eau agités.

Photo du bas : le Platysterne passe sa vie entière sous l'eau.

de 20 à 22°C.
Nourriture : mixte.
Hibernation : non.
Particularité : cette tortue dispose d'un bec corné très pointu à la mâchoire supérieure ; celui-ci lui est utile pour escalader. Il ne faut en aucun cas le retirer.
Lorsqu'elle atteint l'âge adulte, il se forme sur le tiers postérieur de son plastron une articulation transversale.
Les soins sont les mêmes pour l'espèce suivante :

■ Cyclemmyde dentelée, *Cyclemys dentata*.

Géoémyde de Spengler

Geoemyda spengleri
Taille : jusqu'à 15 cm.
Répartition : sud de la Chine, Viêt-nam, Indonésie.
Milieu naturel : ruisseaux des forêts vierges tropicales de montagne.
Comportement : active le jour.
Soins : aquaterrarium avec 50 à 75% de terre (terreau de feuilles et de paille hachée). Expérimentez une eau avec un fort courant dans l'aquaterrarium. Si la tortue y plonge, maintenez le courant. Un fond de galets permet de se reposer. Température de l'eau de 24 à 26°C, température ambiante de 24 à 26°C.
Nourriture : mixte.
Hibernation : non.
Remarque : les animaux possèdent un bec corné pointu à la mâchoire supérieure, qui ne doit pas être retiré.
Les soins sont les mêmes pour l'espèce suivante :
■ Platysterne, *Platysternon megacephalum* (→ photo à gauche), se soigne de la même façon que la Géoémyde de Spengler, mais l'eau de l'aquarium doit être à 23-24°C.

47

Bien soigner les tortues

Les tortues en bonne santé sont vives, reniflent avec curiosité tout ce qu'elles découvrent et s'approchent de vous pour se laisser caresser. Ce chapitre vous explique ce qui est important pour leur bien-être.

2

Les besoins de la tortue

Pour que les tortues se sentent bien chez vous et restent en bonne santé, elles doivent être placées dans un terrarium approprié et bien équipé.

Terrarium pour tortues terrestres

Un terrarium pour tortues terrestres bien équipé doit comporter les éléments suivants (→ Dessin, page 52) :

■ un abri pour la nuit,

■ un bassin rempli d'eau chaude à 22-24°C,

■ une surface de sable ou de pierre chaude à 24-26°C (pendant la journée),

■ une surface de sable à température ambiante (18-22°C),

■ un coin de sable humide non chauffé.

Pour produire la chaleur, on trouve en animalerie des «pierres chauffantes» (il suffit de brancher une prise). Veillez cependant à ce que les tortues ne puissent pas déterrer le câble et le couper avec leur bec (recouvrir le câble avec une plaque en pierre!). La chaleur nécessaire peut être obtenue comme suit :

■ posez d'abord une plaque de liège compressé de 1 à 2 cm d'épaisseur, recouvrant 30 à 50 % du fond du terrarium.

CONSEIL

Calculez comme suit les dimensions minimales d'un terrarium pour tortues terrestres : multipliez par 5 la longueur de la carapace d'une tortue adulte, soit, par exemple, 20 cm. La longueur du bac doit donc être 20 cm x 5 = 100 cm et sa surface 100 cm x 100 cm = 1 m² par tortue.

Pour grimper, une branche de bois mort est particulièrement indiquée.

Différentes conditions d'élevage des tortues

	Installation	Soins	Nourriture	Erreurs fréquentes
Tortues terrestres	Terrarium sec ; enclos en plein air dans le jardin ; éventuellement caisse d'hibernation. L'installation de l'enclos est simple ; un certain équipement est nécessaire (→ page 50).	Simples.	Principalement végétale à distribuer sur le sol.	Placer la tortue sur le carrelage, ce qui peut provoquer une inflammation des yeux et des poumons.
Tortues palustres	Aquaterrarium ; dans le jardin, également enclos en plein air avec un étang ; installation sophistiquée ; équipement nécessaire (→ page 53).	Simples, mais changer souvent l'eau.	Principalement nourriture carnée, distribuée dans l'eau et sur le sol.	Manque d'hygiène, ce qui provoque des infections (yeux, peau, intestins, plastron).
Tortues d'eau douce	Aquarium ; également dans un enclos en plein air avec un étang ; passe l'hiver dans un aquarium ; équipement nécessaire (→ page 55).	Complexes, car de grandes quantités d'eau doivent être renouvelées.	Principalement carnée, distribuée dans l'eau.	Courants d'air et eau trop froide qui provoquent une inflammation des yeux et des poumons.

■ Sur cette plaque, placez 3 feuilles d'aluminium de même épaisseur, la face brillante tournée vers le haut.

■ Sur la feuille d'aluminium, placez un tapis chauffant électrique avec thermostat (disponible en animalerie), approximativement de la même épaisseur. Le tapis chauffant doit également pouvoir chauffer le bassin d'eau par sa base.

Aménagement du terrarium :

■ Placez un revêtement de sol constitué de terre cuite sur le tapis chauffant.

■ A côté de ce revêtement, placez un bassin en terre cuite, en porcelaine ou en métal. Un sous-pot en terre cuite rectangulaire convient bien car les tortues adultes peuvent également y entrer. Le rebord doit être suffisamment bas pour que même les petites tortues puissent y pénétrer sans problème.

Remarque : les jeunes tortues peuvent se noyer dans le bassin. Aussi, le niveau de l'eau ne doit-il pas dépasser la moitié de leur carapace !

■ A présent, garnissez le fond du terrarium avec un mélange de sable de rivière lavé, à grain fin, et d'écorce hachée (en proportion 1:1).

Terrarium pour tortues terrestres. Le couvercle en verre les protège des courants d'air, mais il ne doit recouvrir que les deux tiers du terrarium. La lampe à infrarouge fournit suffisamment de chaleur, la lampe UV permet une saine croissance des os chez les tortues.

Une marche en pierre permet aux jeunes tortues de descendre en toute sécurité.

Une marche en pierre aide les tortues palustres à entrer et sortir des bassins profonds.

Terrarium avec grand bassin pour tortues palustres. Le couvercle en verre peut coulisser, ce qui permet de régler la température et le degré d'humidité.

■ Disposez les racines et les pierres de telle façon que les tortues puissent les escalader ou les contourner. Ménagez-leur également un abri.
■ Un spot (60 à 100 Watt) fera office de soleil. Il est important que les tortues puissent se réchauffer sous le spot à une température supérieure à 30°C. Si le terrarium est placé en un endroit relativement sombre, reliez le spot à un interrupteur horaire. Ainsi, vous pourrez régler la durée de l'éclairement en fonction de la saison.
■ Il n'est pas indispensable de placer des plantes dans le terrarium, mais elles améliorent le décor. Si le terrarium est placé dans un endroit sombre, vous devez éclairer avec une lampe spéciale pour plantes (lampe à vapeur de mercure haute pression disponible en jardinerie ou en animalerie), afin que les plantes puissent se développer. Choisissez des plantes robustes, appartenant au genre *Aechmea* ou *Schefflera*, par exemple. Placez-les de préférence dans des pots en terre cuite et recouvrez la terre de pierres ou de racines afin que les animaux ne les mangent pas.

Terrarium pour tortues palustres
Ces tortues apprécient une surface terrestre avec un décor intéressant et un espace pour nager, se baigner et plonger (→ Dessin, page 52 en bas). Pour son aménagement, il est important que vous connaissiez les besoins de vos tortues (→ Pages 30 à 47). Une bonne nageuse doit disposer d'un espace suffisant pour évoluer. Pour une tortue qui aime grimper sous l'eau, vous devez disposer dans le bassin des supports pour l'aider à grimper (→ Dessin, page 52 en bas). Pour une tortue palustre qui reste la plupart du temps hors de l'eau, la surface terrestre doit occuper au moins 50 % du terrarium.
Le terrarium doit impérativement être étanche. Aussi, il est préférable de se procurer un aquarium.
Pour calculer la taille du terrarium par tortue palustre, reportez-vous aux conseils présentés à la page 50.
L'aménagement du terrarium est identique à celui qui est décrit pour la partie sèche du terrarium réservé aux tortues terrestres (voir à partir de la page 50). Pour les tortues palustres, veillez cependant

aux points suivants :

■ Utilisez de préférence deux chauffages de sol thermo-statisés. Un chauffage pour la partie aquatique et un autre pour la partie sèche. Pour la partie sèche, une «pierre chauffante» convient bien(→ page 50).

■ Remplissez la partie sèche avec un mélange sable/écorces hachées comme décrit aux pages 52 et 53.

■ Sur le pourtour du bassin, disposez des pierres plates naturelles pour que l'eau ne soit pas rapidement souillée. Ces pierres peuvent également être chauffées par un dispositif placé sous celles-ci.

■ En fonction des besoins de vos tortues, le bassin doit occuper 30 à 50 % de la surface de l'aquarium. Disposez l'entrée et la sortie de façon que l'animal puisse glisser lentement dans l'eau (→ Dessin, page 53). Dans la partie la plus profonde, le niveau d'eau ne doit jamais être plus haut que la largeur de la carapace de la tortue. Elle peut se noyer si elle tombe sur le dos et si, en outre, le niveau d'eau est insuffisant pour lui permettre de se retourner.

Une écuelle en terre cuite, grande et profonde, convient

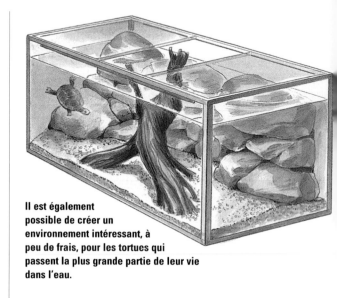

Il est également possible de créer un environnement intéressant, à peu de frais, pour les tortues qui passent la plus grande partie de leur vie dans l'eau.

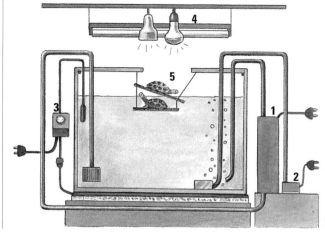

très bien comme bassin pour les tortues palustres.

■ Un spot (60 à 100 Watt) convient comme source de chaleur.

■ Les tortues pouvant rapidement dévorer les plantes, il est préférable de placer la décoration du terrarium pour les tortues palustres à l'extérieur de l'aquarium.

Aquarium pour tortues d'eau douce

Informez-vous d'abord pour savoir si vos tortues d'eau douce sont de bonnes ou de moyennes nageuses (→ pages 37 à 47).

Les bonnes nageuses doivent disposer de beaucoup d'espace pour nager. Non seulement la surface du plan d'eau est importante, mais sa profondeur l'est également.

Les aquariums de taille moyenne peuvent avoir les dimensions suivantes : on obtient la longueur de l'aquarium en multipliant par 5 la longueur de la carapace de la tortue adulte. La largeur est calculée en multipliant la longueur de la carapace par 3.

Ce calcul ne tient pas compte de la décoration. Décomptez d'office 30 % du volume de l'aquarium et encore 30 % si

vous introduisez une deuxième tortue.

Vous pouvez aménager facilement un aquarium en vous limitant au minimum (→ Dessin, pages 54 et 55).

■ Recouvrez d'une mince couche de sable lavé la vitre du fond du bac pour qu'elle ne brille pas.

■ Une tuile faîtière placée sur le fond servira d'abri, une souche de bois fossile de tourbière placée sous l'eau aidera les tortues à grimper et, au-dessus de l'eau, elle fera office d'îlot ensoleillé.

■ Une paroi en pierres naturelles à l'arrière de l'aquarium constitue un décor qui convient à toutes les pièces. En outre, les mauvaises nageuses pourront s'aider de la paroi pour grimper. Les montages en mousse de polyuréthane et en ciment prêt à l'emploi amélioreront la cohésion des pierres. Laissez une fente étroite de 3 à 5 cm entre les pierres et la paroi du fond. Ainsi, vous aurez la possibilité par la suite d'aspirer à l'aide d'un tuyau les saletés qui s'accumulent. L'idéal est de placer une plaque en Styropore devant le montage entre les pierres et la paroi du fond, et de l'enlever ensuite

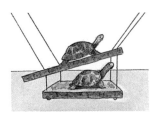

Îlot ensoleillé au premier étage, abri au deuxième.

L'équipement d'un aquarium pour tortues d'eau douce : filtre avec chauffage intégré (1), pompe à air (2), interrupteur horaire (3) et, en l'absence de (1), aération (4) et îlots (5).

pour qu'il reste une fente.

Attention : les jeunes animaux ne doivent pas pénétrer dans cette fente, car ils peuvent y rester coincés et se noyer. Obturez la fente avec une bande de Styropore (la retirer quand vous nettoyez l'aquarium !).

■ La façon la plus simple de chauffer l'eau de l'aquarium et en même temps d'en assurer le filtrage, consiste à utiliser un filtre, avec circulation d'eau entraînée par une pompe, dans laquelle se trouve un système de chauffage contrôlé par un thermostat (disponible en animalerie). Avant de choisir le filtre, renseignez-vous pour savoir si votre tortue aime une eau calme ou bien une eau

Les Tortues d'Horsfield peuvent passer la période chaude estivale dans de longues galeries qu'elles creusent elles-mêmes.

CONSEIL

▼

Règle pour les tortues appréciant une eau agitée : la totalité de l'eau de l'aquarium doit être mise en circulation en 10 à 15 min. Si la pompe est installée assez bas dans l'aquarium, son débit sera faible, et donc la sortie de l'eau devra être placée plus haut.

Une soucoupe peut être utilisée comme bassin pour cette petite tortue terrestre.

agitée (→ pages 37 à 47). C'est en fonction de ce critère que vous réglerez le débit de la pompe. Plus le débit est important, plus le courant sera fort et les turbulences importantes dans l'aquarium.

Remarque : si l'eau est agitée par une pompe filtrante, il n'est pas nécessaire d'aérer l'eau de l'aquarium. Toutefois, une pierre poreuse placée au fond du bac permet d'agiter la vase et de l'entraîner vers le filtre.

Les tortues d'eau douce et les tortues palustres aiment pouvoir disposer d'un endroit calme où elles prennent des bains de soleil au-dessus de la surface de l'eau. Procurez-vous deux plaques en Plexiglas et, avec une colle à deux constituants, collez une plaque de liège d'un cm d'épaisseur sur chacune de celles-ci. Reliez les plaques aux quatre coins avec du fil très solide de façon à

constituer deux étages (→ Dessin, page 55). Le fil doit être rigide pour que l'îlot n'oscille pas. Fixez le reposoir à un support, par exemple le bord du bac ou une barre oblique. L'étage inférieur est horizontal sous l'eau à une profondeur telle que la tortue puisse respirer en redressant le cou. L'étage supérieur peut être légèrement incliné sur le côté afin que les tortues puissent aisément monter dessus.

■ Une plaque de verre placée au-dessus de l'aquarium évite les courants d'air. Une ouverture doit être pratiquée de préférence au-dessus de l'îlot ensoleillé.

■ Au-dessus de l'ouverture se trouvera un spot ou une lampe UV («Ultravitalux» de OSRAM).

Le bon emplacement du terrarium et de l'aquarium

L'idéal est de le placer dans une serre ou une véranda. En effet, la durée du jour variera avec la saison. Ce paramètre a une grande influence sur le déclenchement de l'hibernation (→ page 65) ou de la reproduction (→ page 86). Les pièces avec de grandes fenêtres conviennent également très bien.

Ne conviennent pas : les endroits non éclairés par la lumière du jour et insuffisamment aérés.

Prenez garde aux courants d'air. Ils nuisent à la santé de toutes les tortues. Le rebord direct de la fenêtre est également un très mauvais emplacement pour les terrariums et aquariums. En hiver, la surface de la fenêtre est froide, ce qui induit un courant d'air froid descendant qui peut nuire à la santé des tortues. Ne laissez jamais vos tortues marcher sur le plancher. Même dans les pièces avec un chauffage au sol, les mouvements de convection peuvent créer des courants d'air.

Remarque : évitez que les vibrations produites, par exemple par une chaîne hi-fi, un réfrigérateur ou une pompe d'aquarium, ne soient transmises au terrarium ou à l'aquarium. Cela perturbe les tortues.

Importance de la mise en quarantaine !

Avant de placer une tortue nouvellement acquise, ou une autre congénère, dans votre terrarium/aquarium, placez-la en quarantaine. Sinon, vous risquez d'introduire des maladies, des germes pathogènes ou des vers dans le terrarium ou l'aquarium (→ page 78).

Pour l'aquarium de quarantaine, procurez-vous un bac en plastique de 50 à 250 litres (disponible dans le commerce).

Pour les tortues terrestres, il suffit de placer du papier journal sur le fond du bac, d'introduire un abri, par exemple une planche posée sur deux briques, une mangeoire et un auget.

Pour les tortues palustres, l'équipement de l'aquarium de quarantaine peut également être rudimentaire, mais les animaux doivent disposer d'un bassin suffisamment grand.

Remarque : comme source de chaleur improvisée, une ampoule à incandescence de 60 Watt suffit dans un aquarium de quarantaine, si elle est placée directement au-dessus du terrarium.

Pour les tortues d'eau douce, placez un morceau de tuile faîtière sur le fond du bac et remplissez avec une quantité d'eau telle que le sommet de la tuile serve également d'îlot émergeant au-dessus de l'eau. Naturellement, l'équipement technique doit être connecté à l'aquarium de quarantaine (→ page 55).

Cet abreuvoir pour oiseaux constitue un bassin idéal pour la Tortue d'Hermann.

Enclos en plein air pour tortues terrestres

Lorsque les tortues manquent de lumière, de soleil et de vitamines, elles peuvent devenir rachitiques. Leur carapace se déforme alors sous l'effet d'une simple pression.

Une mesure préventive efficace consiste à placer les tortues dans un enclos en plein air de juin à août.

Si vous installez les tortues dans une serre avec une source de chaleur (→ page 61), vous pouvez les maintenir en plein air de mai à septembre (→ dessin ci-contre).

Taille de l'enclos en plein air : il doit avoir au moins 1,20 m de large et 3 m de long.

Clôture : enterrez dans le sol des plaques de ciment, des bordures, des planches en bois lisse ou du plastique ondulé (en jardinerie).

Veillez à ce que les tortues ne puissent pas atteindre le bord supérieur de la clôture avec les pattes de devant et s'échapper.

Fond de l'enceinte : Creusez à environ 30 cm ; le sol doit avoir une pente d'environ 5 cm par mètre. Laissez des monticules sur lesquels les tortues peuvent s'abriter en cas d'inondation et prendre des bains de soleil.

Plantations : sur le sol de l'enceinte, semez de l'herbe et des plantes (pissenlit, mouron des oiseaux) et plantez des buis-

Vacances idéales pour tortues terrestres de juin à août dans un enclos en plein air dans votre jardin.

Cet enclos en plein air pour tortues palustres et d'eau douce constitue un milieu naturel.

sons bas (plantes ligneuses) ; les pierres et les racines servent de décoration, mais ne doivent pas permettre aux tortues de s'échapper.

Serre : sur la partie élevée et ensoleillée de l'enclos en plein air, disposez un abri en Plexiglas. Même pendant des périodes prolongées de mauvais temps, il accumule suffisamment de chaleur par «effet de serre». Découpez vous-même dans le Plexiglas, à l'aide d'une scie, une ouverture en forme de porte.

Remarque : il existe des serres prêtes à monter en jardinerie. Il n'y a plus qu'à poser les feuilles de Plexiglas. Elles s'encastrent sans problème dans l'encadrement de la serre. Placez de préférence des plaques de ciment (bon accumulateur de chaleur!) sur le sol de l'abri.

Sources de chaleur : pour les périodes froides, pendant lesquelles la température n'atteint pas 26°C dans l'abri, installez une lampe à infrarouges ou, à défaut, une lampe à incandescence de 60 à 80 Watt que vous suspendez à la paroi de la serre.

Mangeoire : une pierre plate placée devant la serre sert «d'assiette» et facilite l'élimination des restes de nourriture dans l'enceinte. La plaque servant de mangeoire doit être placée à l'ombre, pour que la nourriture reste fraîche et ne flétrisse

pas rapidement au soleil.

<u>Bassin</u> : dans la partie profonde de l'enceinte, installez un bassin avec un trop-plein de façon à évacuer l'eau de pluie. Les augets (en ciment ou en plastique disponibles en jardinerie ou animalerie) conviennent bien comme bassin pour les tortues. La règle énoncée pour le terrarium reste valable : la tortue, placée dans la partie la plus profonde du bassin, doit pouvoir aisément respirer en redressant la tête. Dans le bassin, disposez des pierres ou des racines de façon que l'animal couché sur le dos puisse se redresser.

<u>Toiture</u> : les tortues qui mesurent moins de 10 cm sont des proies faciles pour les corneilles, les pies et les chats. Il est donc conseillé de recouvrir l'enceinte de fils ou d'un filet pour oiseaux.

Enclos en plein air pour tortues d'eau douce

De nombreuses tortues d'eau douce ou tortues palustres peuvent être installées dans un étang dans le jardin de juin à août. L'étang doit avoir un volume d'au moins 300 l. Comme bassin de cette dimension et jusqu'à 1,5 m³, il est conseillé de se procurer un bassin de jardin prêt à poser (dans le commerce). L'étang prêt à poser doit présenter une légère pente. Sur le côté le plus profond, placez un trop-plein pour que l'eau s'écoule dans la direction souhaitée (éventuellement placez un drain !). Pour un étang de plus grande dimension, vous pouvez également envisager un bassin en plastique (→ dessin page 61). Pour aider les tortues à grimper et prendre des bains de soleil, utilisez une grosse souche d'arbre placée obliquement, de façon que les tortues puissent sortir de l'eau.

<u>Plantations</u> : ce sont les roseaux qui conviennent le mieux. Toute autre plante sera mangée, de même que les petits poissons, les tritons et les larves d'insectes.

<u>Filtration</u> : les étangs d'un volume allant jusqu'à 1,5 m³ doivent être utilisés tels quels, les plus grands peuvent être filtrés. A cet effet, placez une simple pompe immergée (disponible en animalerie ou en jardinerie) sur le fond de l'étang. A côté de l'étang placez une filtration externe (disponible en animalerie ou en jardinerie).

<u>Clôture</u> : utilisez des planches

Fraîcheur estivale sur le balcon. A gauche, pour tortues terrestres, à droite pour tortues palustres.

Crochet de sécurité et attache en caoutchouc permettant de fixer le toit de l'enclos en plein air sur le balcon en prévision des intempéries.

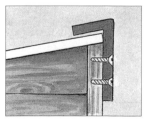

Fixez le bord du couvercle à l'arrière, à l'aide d'une équerre métallique.

de bois traité bien lisses ou des bordures en ciment, en métal ou en plastique ondulé (en jardinerie). Il suffit d'une clôture de 50 à 60 cm de haut et enfoncée de 20 à 30 cm.

Couverture : pour protéger les petites tortues des chats, pies et corneilles et des mouettes à proximité des côtes, recouvrez l'enclos en plein air d'un filet pour oiseaux ou d'un filet de pêcheur.

Mini-étang sur le balcon ou sur la terrasse

On peut construire un charmant enclos en plein air pour tortue d'eau douce sur le balcon ou la terrasse (→ dessin à gauche).

■ A cet effet, construisez une caisse avec des madriers et des planches d'épicéa de 1,60 - 2 m de long, environ 60 cm de large et 80-100 cm de haut.

Pour éviter que le bois ne pourrisse, recouvrez-le d'une feuille de plastique utilisée pour les étangs et collez-la sur les parois de façon que l'ensemble soit étanche.

■ Recouvrez la caisse d'une feuille de Plexiglas vissée sur un encadrement fait de linteaux. Laissez dépasser légèrement la plaque de Plexiglas à l'avant (pour

l'égouttement de l'eau). La caisse doit être 10 à 15 cm plus basse à l'avant qu'à l'arrière de façon que la vitre soit légèrement en pente. De cette manière, l'ensoleillement est meilleur et la pluie peut s'écouler plus facilement.

Comme étang, utilisez selon le nombre de tortues, 1 à 2 bacs à mortier disponibles dans des magasins de matériaux de construction ou des étangs prêts à l'emploi.

■ Remplissez le fond de la caisse de 20 à 30 cm d'argile expansé (en jardinerie). On peut également utiliser du sable.

■ Placez l'étang sur la couche d'argile expansé. Veillez à ce que l'étang soit disposé à 30 cm en dessous du bord de la caisse, pour que les tortues ne puissent pas s'échapper.

■ Remplissez avec de la terre de jardin jusqu'au bord.

■ Disposez des plantes et décorez selon votre goût pour obtenir un «paysage lacustre».

■ Placez une rambarde sur votre balcon pour éviter la chute des tortues.

Remarque : pour les tortues terrestres, remplacez l'étang par un auget ou un abreuvoir pour oiseaux.

Une tortue bien soignée reste en bonne santé

Le soin des tortues ne consiste pas uniquement à effectuer des opérations de toilettage, telles que couper les ongles trop longs, mais également à préparer les tortues à l'hibernation. Bien évidemment, il importe également pour la santé de vos tortues que l'équipement de votre terrarium ou de votre aquarium fonctionne parfaitement.

Toilettage des tortues

Ongles trop longs : les tortues ont des ongles trop longs lorsqu'elles ne font pas assez de mouvements et/ou que le sol est trop meuble. Les ongles ne s'usent pas suffisamment. Chez les tortues terrestres, un excès de protéines animales entraîne une croissance trop importante des ongles.

Les ongles longs empêchent les tortues d'avancer et ils doivent être recoupés avec un coupe-ongles (→ dessin page 66). Pour les ongles délicats, il existe des ciseaux particuliers disponibles dans les magasins spécialisés en matériel médi-

La Tortue rayonnée étire volontairement le cou pour se faire caresser.

En plein air, des tiques peuvent se fixer dans les replis de la peau chez la tortue. On peut aisément retirer ces parasites à l'aide d'une pince à tiques.

Une pincette est utile pour retirer les pellicules d'écailles et les lambeaux de peau.

Demandez au vétérinaire de vous montrer comment couper les griffes avec une pince à ongles.

cal. Demandez à un vétérinaire de vous montrer comment il faut procéder.

Remarque : Chez certaines tortues palustres, par exemple la Chrysémide peinte (*Chrysemis picta*), les mâles ont naturellement des ongles longs aux pattes avant ; il ne faut pas les couper.

Les crêtes cornées trop longues sur les bords de la mâchoire se développent lorsque la nourriture n'est pas suffisamment dure. Dans le cas des tortues terrestres, elles peuvent également être dues à une alimentation trop riche en protéines. Ces crêtes cornées doivent être limées par un vétérinaire (→ Dessin page 66). Une mesure préventive consiste à donner de la nourriture plus dure ainsi que des os de seiche ou du calcaire à ronger.

Remarque : les Rhinoclemmydes peintes ont naturellement une mâchoire supérieure en «forme de crochet» dont elles se servent pour grimper. Ne jamais la raccourcir.

Le toilettage de la carapace est totalement inutile, cependant vous pouvez frotter la carapace tous les 3 ou 4 mois avec de la vaseline en formant un film très mince ou de la «graisse à sabot». Enfin, séchez prudem-

ment la carapace avec un chiffon doux.

Hibernation

Pour rester en bonne santé, de nombreuses espèces de tortues, même domestiquées, doivent pouvoir hiberner (→ pages 30 et suivantes). Vous reconnaîtrez à son comportement que la tortue s'apprête à hiberner. Les tortues terrestres, de même que les tortues d'eau douce, deviennent moins vives en octobre, lorsque la longueur du jour et l'intensité de la lumière diminuent. Leur appétit diminue ou bien elles s'arrêtent totalement de se nourrir.

Remarque : les tortues doivent pouvoir hiberner même la première année. Vérifiez toutefois le poids des animaux toutes les 5 à 6 semaines. Si vous constatez une diminution de 10 % entre deux contrôles successifs, cela signifie que l'animal est malade et il faut le réveiller prématurément.

Estivation

Les tortues terrestres russes, dans leur habitat naturel, passent par une période d'estivation durant les étés particulièrement secs et chauds (→ page 33). Ce besoin peut apparaître également en captivité. Elles se comportent de la même manière que les tortues avant l'hibernation.

L'hibernation des tortues terrestres

Avant l'hibernation, les tortues doivent être baignées 10 à 20 min. par jour dans une eau à 24 - 26°C, afin de vider complètement leur intestin. Pendant cette période, ne leur donnez aucune nourriture. Ensuite, coupez le chauffage et l'éclairage dans le terrarium pendant 2 à 3 jours.

La température ambiante doit être inférieure à 18°C. Si la tortue se comporte comme décrit à la page 65, placez-la dans la caisse d'hibernation.

La caisse d'hibernation doit avoir une ouverture de 70 x 70 cm et une hauteur de 80 cm (→ Dessin, page 67). Elle est constituée de planches «grossièrement» assemblées, pour que l'air puisse pénétrer à l'intérieur. Remplissez le fond de la caisse avec une couche de 10 à 20 cm de cendres de lave ou d'argile expansée (en jardinerie). Ensuite, recouvrez-la d'une couche de 10 cm de terre de jardin ou de terreau humide. Ensuite, remplissez jusqu'à 10 cm du bord avec de la mousse presque sèche, mais pas complètement, ou des feuilles. Placez la tortue dessus, elle creusera elle-même pour atteindre les couches inférieures. Enfin, recouvrez la caisse d'une gaze ou d'un grillage. La température ambiante peut être comprise entre 0° et 12°C, mais elle ne peut être supérieure à 12°C pendant plus d'une semaine, sinon l'animal se réveillera prématurément.

Remarque : ne nourrissez pas les tortues pendant l'hibernation. Le contrôle régulier du poids ne la dérangera pas. Veillez à ce que les différentes couches dans la caisse ne se dessèchent pas. L'humidité protège l'animal contre la déshydratation. Ajoutez éventuellement un peu d'eau dans un coin au niveau de la couche de terre de jardin.

Le réveil se produit 4 à 5 mois plus tard. Retirez l'animal de la caisse d'hibernation et placez-le dans son abri dans le terrarium de quarantaine (→ page 58). Placez le terrarium dans une pièce à 20 - 22°C et attendez que l'animal sorte de son abri. Alors, baignez la tortue dans une eau à 24-26°C et lorsqu'elle a bu, replacez-la dans son terrarium.

Pince à ongles spéciale pour couper les griffes trop longues.

Extraction de parasites avec une pince à tiques.

Un bec trop long doit être coupé par un vétérinaire.

Caisse d'hibernation pour tortues terrestres. Au fond, placez une couche de cendres volcaniques ou d'argile expansé, au milieu, de la terre de jardin ou du terreau, en haut, une couche de tourbe et des feuilles.

Les tortues palustres hibernent volontiers, avec une faible quantité d'eau, sur une couche formée d'éponges découpées en dés.

Hibernation des tortues d'eau douce et palustres

La plupart des tortues d'eau douce et palustres hibernent dans la nature au fond de la pièce d'eau (→ pages 30 à 47).

Pour l'hibernation, un bac en plastique noir convient très bien (→ page 58).

Comme abri, une tuile faîtière convient bien pour les petites tortues, tandis que pour les plus grandes, il faut créer un effet de «grotte» en recouvrant le bassin à l'aide d'une planche de façon à l'assombrir dans le haut.

Le niveau de l'eau doit être tel que l'animal placé sur le fond puisse respirer en redressant le cou.

La température de l'eau peut osciller entre 1° et 12°C, mais elle ne doit jamais être trop longtemps supérieure à 12°C, sinon l'animal se réveille prématurément.

Un changement d'eau doit avoir lieu toutes les 3 à 4 semaines. L'eau doit être changée immédiatement si elle prend une coloration jaunâtre ou si un film blanc se forme à la surface.

Remarque : il n'est pas nécessaire d'aérer et de filtrer le quartier réservé à l'hibernation. Ne nourrissez pas les tortues pendant qu'elles hibernent.

Le réfrigérateur peut, en cas de besoin, servir de quartier d'hibernation pour les tortues d'eau douce et palustres, si vous ne disposez pas de cave appropriée. A cet effet, recouvrez d'une feuille en plastique translucide la plaque de verre au-dessus du tiroir à légumes. Le compartiment légumes sert de récipient d'hibernation et doit être disposé de la même manière que le bac en plastique décrit ci-dessus. Toutefois, l'abri en tuile n'est pas nécessaire.

Remarque : voyez si votre tortue apprécie d'être placée dans un lit douillet. A cet effet, découpez une éponge en mousse en petits dés, et remplissez le fond du bassin ou du

tiroir à légumes avec ceux-ci. De cette manière l'animal a l'impression d'être «enterré».

Attention : ne laissez pas les tortues palustres américaines hiberner dans l'étang de votre jardin. Nos hivers sont trop longs et ce serait dangereux pour la santé de l'animal. Interrompez vous-même l'hibernation de vos tortues d'eau douce ou palustres au plus tard après 4 mois en portant le récipient contenant l'eau dans une pièce à 22°C et attendez que l'eau atteigne la température de la pièce. L'animal se trouvera alors dans une eau à la même température que le terrarium ou l'aquarium. Remettez en route le chauffage et l'aération. Cinq à sept jours plus tard, les tortues ont à nouveau un comportement actif normal.

Entretien de l'équipement

Les câbles électriques : ils peuvent devenir cassants ou fondre lorsqu'ils sont exposés à

Le tympan des tortues se trouve sous la peau sombre, derrière les yeux.

Faut-il nourrir les tortues quand elles hibernent?

De nombreuses tortues terrestres et d'eau douce paraissent très fatiguées en octobre. Elles s'endorment et leur sommeil dure plus de quatre mois. Ce comportement leur permet de survivre aux rigueurs de l'hiver dans la nature. En hiver, la tortue dispose de peu de nourriture et ne peut accumuler suffisamment de chaleur dans son corps. Les tortues terrestres s'enterrent dehors, fréquemment sous les racines des arbres. Les tortues d'eau douce s'enfouissent dans la vase, au fond du lac ou du fleuve dans lequel elles vivent. Pendant leur hibernation, les tortues ne mangent pas et ne boivent pas. Elles vivent de leurs réserves accumulées du printemps à l'automne. Elles ne meurent donc pas de faim. Leur cœur bat très lentement, leur respiration est moins rapide et elles ne se déplacent pratiquement pas. Donc, elles consomment très peu d'énergie. Leurs réserves suffisent pour survivre. Une tortue en bonne santé, même en captivité, ne doit pas être nourrie pendant le repos hivernal. Toutefois, si une jeune tortue perd beaucoup de poids pendant l'hibernation, il faut consulter un vétérinaire pour vérifier si elle n'est pas malade. Il faudra probablement réveiller la tortue.

la chaleur excessive d'une lampe à infrarouges. Le cas échéant, il faut les remplacer (respectez les consignes de sécurité pour les câbles électriques !).

Pompe et carter du filtre : l'eau calcaire peut provoquer la formation d'une croûte qu'il est préférable d'éliminer avec un solvant pour calcaire. Démontez les tuyaux souples entartrés et placez-les dans un seau contenant un liquide qui dissout le calcaire (acide formique).

Les pompes d'aquarium modernes ne nécessitent pas d'entretien. En revanche, les parties amenant l'eau aux pompes doivent être entretenues. L'accumulation de vase peut se produire dans une eau très sale et provoquer le blocage de la turbine de la pompe. Veillez donc à éliminer régulièrement la vase.

Vis : les parties vissées peuvent se dévisser à la longue. Vérifiez-les donc régulièrement.

Pompe à air : les matériaux utilisés pour le filtre (coton, éponge) doivent être remplacés ou lavés dans de l'eau chaude. Après séchage, ils peuvent être remis en place.

Importance d'une alimentation variée

La meilleure prévention contre les maladies consiste en une alimentation saine et variée. Vous devez y accorder une grande importance, car les tortues se limitent volontiers à un seul type de nourriture, ce qui nuit à leur santé.

Les tortues terrestres aiment les végétaux

Dans la nature, les tortues terrestres trouvent une alimentation variée : herbes, plantes, buissons avec différentes feuilles, fleurs et fruits. Sur les plantes elles trouvent des insectes, des chenilles et des escargots qui couvrent leurs besoins très limités en protéines animales.

Donnez à l'animal domestique, de préférence, tout ce que vous trouverez dans une prairie fleurie ou dans un jardin : fleurs de pissenlit et pâquerettes, mouron des oiseaux, trèfle, herbes (en automne, également du foin toujours accompagné d'eau), plantes et tubercules ou carottes, chou rave et autres légumes. La salade, par exemple la laitue, cultivée en plein air, est également indiquée.

Attention : les plantes et la salade ne doivent pas avoir été traitées avec des herbicides ou des insecticides. Ne donnez pas de plantes empoisonnées.

Habituer les tortues à une alimentation variée n'est cependant pas chose aisée. Lorsqu'un aliment leur plaît, elles le préfèrent à tout autre et négligent les compléments nutritifs utiles. Tournez la difficulté en fournissant aux tortues les compléments nutritifs finement découpés et mélangés à leur nourriture favorite.

Remarque : les tortues apprécient tout particulièrement le pain blanc trempé dans du lait ou le riz au lait. Toutefois, ce type de nourriture ne répond pas à leurs besoins alimentaires et elles tomberont malades.

De même, les fruits très sucrés peuvent nuire à leur santé, car ils fermentent dans l'intestin et provoquent la multiplication des parasites.

Viande pour tortues d'eau douce et tortues palustres

Les tortues d'eau douce et les tortues palustres sont omnivores et mangent donc de la nourriture végétale et animale. En général, elles préfèrent les aliments carnés. De nombreuses espèces se nourrissent uniquement de viande lorsqu'elles sont jeunes (par

Le contrôle mensuel du poids vous permet de vérifier si votre tortue se développe sainement.

Les fleurs de tout type, comme la fleur d'hibiscus, entrent dans le régime alimentaire des tortues terrestres.

exemple *Chrysemis/Pseudemys elegans*) et la proportion d'aliments végétaux augmente à mesure que l'animal grandit. Comme aliment de base, donnez du bœuf gras haché, de petits poissons d'aquarium (Guppies) ou des filets de poissons d'eau douce, par exemple des truites. Avant de les donner aux tortues, les poissons congelés doivent être décon-gelés et portés à la température de l'aquarium. Afin de procurer de la viande fraîche à vos tortues, élevez de petits escargots d'eau douce dans un petit aquarium (disponible en animalerie).

Lorsque vous vous absentez quelques jours, il est plus simple de soigner les tortues avec des aliments déshydratés pour chat. Cette nourriture est

71

bon marché, contient du calcium, des vitamines et du poisson, donc exactement ce dont les tortues palustres et d'eau douce ont besoin. Malheureusement, ces granulés de nourriture déshydratée contiennent également des graisses que le tortue digère mal. Cette nourriture ne peut donc pas être utilisée comme aliment de base unique!

Remarque : si la nourriture sèche provoque des diarrhées chez vos tortues, cessez de donner ce type d'aliment jusqu'à ce que la digestion redevienne normale. Donnez-en ensuite à doses plus réduites.

Compléments alimentaires

Les vitamines, les oligo-éléments et le calcium sont indispensables au bon développement des tortues (en animalerie ou chez le vétérinaire). Les vitamines et les oligo-éléments sont contenus dans les compléments alimentaires habituels, tels que «Corvimin®» ou «Davinova®». La plupart sont fournis sous forme de poudre. Pour toutes les tortues, il suffit d'en donner deux fois par semaine. Mélangez la poudre avec les aliments préférés de vos tortues.

Remarque : si vous nourrissez vos tortues avec de la viande de bœuf hachée ou du poisson frais et que vous maintenez les tortues en plein air pendant l'été, cette exposition leur procurera généralement un apport supplémentaire en vitamines. Toutefois, un excès de vitamines peut nuire à la santé des tortues. Par exemple, un surdosage en vitamines A chez les tortues terrestres peut provoquer un ramollissement de la peau et avoir des conséquences mortelles (→ page 84).

Chez les tortues d'eau douce, on constate plus fréquemment un manque de vitamines A qui se signale, surtout chez les jeunes animaux, par un gonflement des paupières (→ page 83). Comme le corps peut synthétiser lui-même la vitamine A, il suffit de lui fournir des matières premières sous forme d'aliments riches en carotène. Les «Koi-Sticks» (disponibles en animalerie) sont particulièrement conseillés. En outre, ils donnent une jolie coloration à la peau et entraînent la formation de belles taches jaunes, ainsi que de taches ou de lignes rouges.

Le calcium est indispensable pour la formation de la

Photo de droite : écrasez les coquilles d'œufs avec un pilon et un mortier.

Avec des coquilles d'œufs lavées et écrasées, votre tortue ne manquera pas de calcium.

Régime de base aux différentes saisons

Saisons	Tortues terrestres	Tortues palustres et aquatiques
	Nourriture principale	
Printemps	Plantes et fleurs des champs : mouron, fleurs de pissenlit, pâquerettes, plantain, herbe, feuilles d'arbre fraîches.	Chair de truite fraîche (amener les morceaux congelés à la température de l'eau avant de nourrir la tortue), viande de bœuf maigre hachée, aliments déshydratés pour chat (maximum 50 % de l'ensemble du régime).
Eté	→ printemps	→ printemps
Automne jusqu'à l'hiver (ne pas nourrir pendant l'hibernation !)	Laitue, feuilles de choux raves, foin avec beaucoup de feuilles.	→ printemps
	Donner les aliments frais sous forme de brouet (→ page 76)	
Toute l'année	Compléments alimentaires : 2 fois par semaine, mélange de sels minéraux (Corvimin® ou Davinova® (→ page 72), calcium à chaque repas (coquilles d'œufs broyées), carottes râpées ou «koi-sticks» (en animalerie).	

Remarque : ce régime de base convient particulièrement aux tortues terrestres. Respectez également les remarques concernant la nutrition présentées dans les fiches des pages 30 à 47.

carapace des tortues adultes et pour la formation des coquilles d'œufs chez les femelles adultes. Le calcium est disponible en animalerie en préparations spéciales.

Vous pouvez également en préparer en broyant des coquilles d'œufs. Durant les deux premières années, vous devez impérativement saupoudrer les aliments de calcium tous les jours. Par la suite, il suffit d'en fournir deux fois par semaine.

Remarque : les bananes, les tomates et les pêches contiennent beaucoup de phosphore.

Un apport simultané de cet élément et du calcium nuit à la santé des tortues. Chez les tortues terrestres, il est préférable de saupoudrer de calcium les plantes et la salade. Pour les tortues d'eau douce et palustres, mélangez-le avec un peu de bœuf haché.

La ration de nourriture

Il n'existe malheureusement pas de règle simple pour déterminer la quantité de nourriture dont une tortue a besoin. Toutefois, une tortue saine mange souvent trop. Ne vous laissez jamais impressionner par les caprices de votre tortue. L'excès de nourriture provoque la formation de graisses et peut endommager le foie ou interrompre la croissance.

Chez les tortues terrestres, il est difficile d'estimer la quantité appropriée de nourriture, car elles mangent lentement. Vous devez progressivement

vous faire vous-même une idée de la quantité nécessaire à votre tortue. Une diète est conseillée lorsque les replis de la peau à l'endroit où elle rentre ses pattes forment des boursouflures au niveau de la carapace. Diminuez alors la quantité de nourriture de 30 à 40 % jusqu'à ce que la tortue ait consommé la graisse accumulée sous la peau.

Remarque : les tortues terrestres doivent toujours être nourries sur le sol. Veillez toujours à ce qu'elles aient de l'eau fraîche.

Chez les tortues d'eau douce, pour déterminer la quantité appropriée de nourriture, procédez comme suit. Laissez jeûner la tortue un jour. Donnez-lui ensuite son aliment préféré. Pesez-le ou mesurez-le avec une cuillère à café graduée. Nourrissez votre tortue jusqu'à ce que son appétit diminue et qu'elle mange nettement plus lentement ou de manière plus sélective. Mesurez ensuite la quantité de nourriture non consommée et retranchez cette valeur du poids de nourriture de départ. Divisez le résultat par deux et vous connaîtrez le poids de nourriture correct.

CONSEIL

▼

Seul un contrôle du poids permet de savoir si vous nourrissez suffisamment vos tortues. Pesez les jeunes animaux toutes les 3 à 4 semaines, les adultes toutes les 8 à 12 semaines. La prise de poids est proportionnellement plus élevée chez les jeunes animaux que chez les tortues plus âgées.

Ces pissenlits juteux sont des friandises pour les tortues.

Dans des enclos plus grands, il est pratique d'installer un râtelier de ce type.

Remarque : les tortues d'eau douce doivent toujours être nourries dans l'eau. Si vous élevez deux animaux ensemble, la tortue la plus grande peut mordre la tête de la plus petite lorsqu'il y a compétition pour la nourriture. Nourrissez donc séparément la plus jeune de l'adulte !

Préparez vous-même des aliments complets

Le zoo de Francfort a élaboré les recettes suivantes. Ces aliments complets peuvent être préparés à l'avance et congelés en portions séparées.

■ Aliments pour végétariens : 85 à 90 % de végétaux très nutritifs (herbe de prairie, salade, feuilles riches en fibres de légumes et morceaux de légumes tels que carotte et chou rave), 10 % de viande maigre de bœuf hachée et 5 % de maïs ou de riz non décortiqué.

■ Nourriture pour carnivores: 75 % de protéines animales dans la composition suivante : 30 % de poisson d'eau douce, 30 % de viande de cœur, 20 % de seiche, 20 % de foie. Les 25 % restants comprennent des plantes, carottes, pommes, riz non décortiqué et maïs cuit.

Remarque : les crevettes et oeufs de poule (avec carapace et coquille) modifient le goût et la composition. Voyez ce que les tortues préfèrent.

La <u>préparation</u> est très simple. Lavez tous les ingrédients à l'eau courante. Pour les tortues terrestres, mixez les différents composants avec de l'eau pour obtenir un brouet semi-liquide. Pour les tortues d'eau douce, mélangez en outre une quantité appropriée de poisson. Chauffez le brouet à 80°C (vérifiez avec un thermomètre). Ajoutez une cuillère à café de mélange de sels minéraux broyés (→ Tableau, page 73) et un comprimé effervescent de vitamines (soluble dans l'eau). Laissez le brouet refroidir, en mélangeant constamment, à 60°C. Ajoutez de la gélatine en poudre (magasin diététique). Séparez en rations journalières et congelez dans des sacs en plastique.

Votre relation avec votre tortue peut être très forte, si vous prenez le temps de vous en occuper.

Règles de nutrition pour les tortues

	Fréquence	Quantité	Observations
Jeunes tortues terrestres	Tous les jours, matin et soir.	La tortue doit mettre environ 10 min. pour manger une portion.	Pour une bonne croissance osseuse, il est important de fournir du calcium, un mélange de sels minéraux et des aliments riches en vitamines (→ page 72).
Tortues terrestres au stade de la puberté/ adultes	Tous les jours, matin et soir.	Chacun des deux repas doit durer 10 min. environ.	Les femelles qui pondent ont besoin de beaucoup de calcium pour la formation des coquilles. Il est important de fournir du calcium sous forme de coquilles écrasées (1/5 d'un œuf de poule par jour) 4 semaines avant et après la ponte.
Jeunes tortues d'eau douce	Quotidiennement, 1 ou 2 fois.	Ration journalière : 50 % de la quantité que l'animal peut absorber en un repas (→ page 74).	Pour une bonne croissance osseuse, il est important de fournir du calcium, un mélange de sels minéraux et des aliments riches en vitamines.
Tortues d'eau douce au stade de la puberté/ adultes	Tous les 2 jours ; pour les animaux adultes, tous les 2 - 3 jours. En alternance.	50 % de la quantité que l'animal peut absorber jusqu'à saturation en un repas.	Les femelles qui pondent ont besoin de beaucoup de calcium pour la formation des coquilles. Il est important de fournir du calcium sous forme de coquilles écrasées (1/5 d'un œuf de poule par jour) 4 semaines avant et après la ponte.

Maladies et mesures préventives

Même en captivité, les tortues peuvent atteindre un âge très avancé. Cependant les recherches ont montré que plus de la moitié des tortues achetées ne survivent pas au-delà de la première année chez leur propriétaire. Les causes principales de cette mortalité sont la méconnaissance des besoins de l'animal et le manque d'hygiène dans le terrarium ou l'aquarium.

Mesures préventives pour toutes les tortues

Les trois principales causes de maladies avec issue mortelle pour toutes les tortues sont :

■ les courants d'air,
■ un manque de calcium et de vitamines,
■ un manque de rayons ultraviolets.

Courants d'air : n'installez jamais vos tortues sur le sol de votre habitation ou dans un terrarium/aquarium placé sur un appui de fenêtre, car il y a toujours des courants d'air.

Manque de calcium et de vitamines : ces éléments sont absolument indispensables au développement de la tortue (→ page 72).

Rayons ultraviolets : les UV compensent le manque d'ensoleillement et permettent d'éviter les maladies osseuses (→ Enclos en plein air pour les tortues terrestres, page 60).

Mesures préventives pour les tortues terrestres

La propreté du terrarium est une des mesures préventives les plus importantes pour maintenir vos tortues en bonne santé. Les bassins et le sable qui les entourent sont des milieux particulièrement favorables à la prolifération de vers qui parasitent l'estomac et l'intestin, au développement de leurs œufs et de leurs larves, ainsi que de bactéries diverses. Dans la nature, les tortues parcourent de grandes distances et ont peu de chance d'entrer à nouveau en contact avec les parasites présents dans leurs excréments. En terrarium, il en va tout autrement. Les tortues absorbent

Les jeunes tortues sont, en règle générale, plus colorées que les animaux plus âgés.

Une carapace sombre, comme celle de la Chrysémide peinte, accumule la chaleur du rayonnement solaire, même par temps couvert.

les germes excrétés si vous ne prenez pas la peine de nettoyer soigneusement le terrarium. Changez de préférence l'eau des bassins tous les jours, mettez de l'eau propre et maintenez sec le sol qui les entoure (en déplaçant les pierres). Changez le sable qui entoure le bassin assez souvent (toutes les 4 à 8 semaines, selon le degré de souillure).

Si la tortue mange le sable ou le gravier en grandes quantités, elle souffre vraisemblablement d'un manque de sels minéraux. Le sable et les graviers peuvent provoquer une occlusion mortelle du tractus gastro-intestinal. Il est donc indispensable de fournir régulièrement des vitamines, du

79

calcium et des oligo-éléments
(→ page 72).

**Mesures préventives pour
les tortues palustres**

L'hygiène du terrarium pour
tortues palustres a une importance primordiale. L'eau doit
toujours être propre, le sable
ne doit pas être humide. Dans
la nature, la tortue palustre vit
dans un fleuve et dispose toujours d'eau fraîche.

Dans un lac également, les
excréments et les restes de
nourriture se décomposent
sans guère affecter le milieu.

**Mesures préventives pour
les tortues d'eau douce**

L'eau de l'aquarium doit absolument être propre, car les
excréments et les restes de
nourriture réduisent considé-
rablement la qualité de l'eau et
engendrent des maladies.

**Lorsqu'elle prend un bain de
soleil, la tortue étire ses quatre
membres, afin d'exposer la
plus grande surface de peau
possible.**

CONSEIL

▼

La propreté de l'eau est importante pour la santé des tortues. Les saletés, excréments et restes de nourriture peuvent être éliminés avec un passe-thé ou un filtre à café en papier. On peut aspirer la vase dans l'eau de l'aquarium avec un morceau de tuyau souple.

Vous pouvez prendre les mesures préventives suivantes:

1 Maintenez de préférence un petit nombre de tortues dans une grande quantité d'eau.

2 Eliminez rapidement les restes de nourriture et les excréments.

3 Dès le départ, installez un filtre avec un bon système de filtration (→ page 56).

4 Evitez les courants d'air dans le terrarium. Les tortues qui respirent de l'air froid quand elles sont dans de l'eau chaude peuvent aisément contracter un refroidissement ou une inflammation pulmonaire (→ Dyspnée, à droite).

5 Renforcez les défenses des tortues en maintenant l'eau à une température appropriée (24°C à 26°C) et en plaçant une lampe à infrarouges au-dessus de la partie sèche.

Symptômes de maladies

Les changements de comportement tels que l'apathie et d'autres signes externes tels que le gonflement des paupières indiquent que la tortue est malade.
Le résumé ci-après présente les maladies des tortues les plus fréquentes et leurs symptômes.

Dyspnée

Manifestations : cou redressé, gueule largement ouverte, la tortue laisse entendre des cris déchirants et laisse retomber lourdement la tête. Les tortues d'eau douce se couchent sous la lampe à infrarouges et respirent la gueule ouverte.
Causes possibles : inflammation pulmonaire ; constipation ; besoin de pondre ; gaz dans l'estomac ou l'intestin ; calculs ou dépôts d'acide urique qui empêchent la vessie de se vider ; œdème dû à une maladie rénale ou cardiaque.
Traitement : ne pas réchauffer l'animal ! Ceci provoquerait une activation du métabolisme et pourrait être extrêmement dangereux ! De préférence, consultez immédiatement un vétérinaire, car lui seul peut poser un diagnostic correct.
Remarque : les problèmes respiratoires peuvent être dus à des infections buccales provoquées par des champignons, des bactéries ou de l'herpès. L'herpès a une évolution souvent mortelle chez les tortues. Seule une mise en quarantaine, des mesures d'hygiène et une désinfection immédiate peuvent permettre de sauver les autres animaux.

Diarrhées

<u>Manifestations</u> : excréments liquides (→ photo, page 83).

<u>Causes possibles</u> : alimentation incorrecte, infection due à des protozoaires, des vers ou des champignons.

<u>Traitement</u> : lorsqu'il n'y a pas de sang mêlé aux excréments et que l'animal reste actif, imposez-lui d'abord une diète : pas de fruit, réduction de l'alimentation de base et augmentation de la proportion d'aliments secs tels que feuilles et foin. Remplacez l'eau de boisson par du thé à la camomille ou du thé noir (laissez infuser 10 min). Si vous ne constatez pas d'amélioration dans les 2 ou 3 jours, consultez un vétérinaire. Emmenez des excréments frais (→ page 105) !

Modifications des urines chez les tortues terrestres

<u>Manifestations</u> : chez la plupart des tortues terrestres, l'urine se compose d'une partie liquide claire et d'une mousse blanchâtre constituée de cristaux d'acide urique. L'urine modifiée est épaisse, et lorsque la maladie progresse, la mousse blanche disparaît. Ensuite, on trouve de petites concrétions d'urée. L'animal est plus calme

que d'habitude, ses membres, y compris les postérieurs, sont gonflés (→ Dessin à droite).

<u>Causes</u> : plus la concentration d'urée augmente, moins l'animal boit et plus la formation de cristaux d'acide urique est importante. L'urine est de plus en plus épaisse afin d'économiser l'eau. Malgré l'effet protecteur du mucus dans l'urine, il y a une desquamation des cellules du canal rénal et de la vessie sous l'effet des cristaux, ce qui provoque une inflammation. Les bactéries et les flagelles peuvent se développer. Les agrégats de protéines, de cellules mortes et de cristaux, en quantité toujours plus importante, bloquent les néphrons. Les reins ne peuvent plus éliminer l'urée qui est létale pour les cellules, ni les substances toxiques dissoutes, ce qui aboutit à un empoisonnement de la tortue. Un calcul vésical se forme, souvent accompagné d'un gonflement douloureux des membres.

<u>Traitement</u> : consultez immédiatement un vétérinaire, car l'animal souffre énormément et l'issue est souvent mortelle. Comme mesure préventive, baignez la tortue plusieurs fois chaque semaine. Ainsi, l'ani-

Les membres gonflés signalent une affection rénale.

Mue excessive due à un excès de vitamines A.

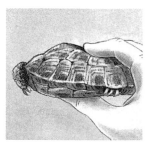

Carapace molle due à un excès de vitamines D³.

CONSEIL

▼

N'hésitez pas à consulter immédiatement un vétérinaire si vous observez quelque chose d'anormal. Plus tôt le vétérinaire posera le diagnostic correct, plus grandes seront les chances de guérison. Les échantillons d'excréments sont toujours importants pour le diagnostic (→ page 105).

mal boit suffisamment d'eau et ses reins se nettoient.

Blessures de la carapace

<u>Causes :</u> le plus souvent, accident.

<u>Traitement :</u> les écorchures superficielles de la carapace sont sans danger. Si la blessure est plus profonde et que les os apparaissent, consultez un vétérinaire. Il retirera les tissus blessés et soignera quotidiennement la fracture ouverte. Les tortues d'eau douce doivent être placées sur un papier journal sec pendant le traitement et ne pas séjourner plus d'une heure dans l'eau pour se nourrir et boire. Les animaux plus jeunes peuvent se baigner plus souvent, pendant des temps plus courts, pour qu'ils ne se déshydratent pas.

Gonflement des paupières

<u>Causes :</u> corps étranger dans l'œil, blessure ; manque de

vitamine A.

Le manque de vitamine A apparaît exclusivement chez les tortues d'eau douce. Il provoque un durcissement des cellules de la glande de Harder qui se trouve au-dessus des yeux. Entre les paupières s'accumule alors une masse de cellules opaques collantes blanches. La tortue devient aveugle et cesse de se nourrir. Les paupières gonflent comme celles des grenouilles et la tortue se frotte constamment les yeux avec les pattes de devant.

<u>Traitement :</u> exclusivement par un vétérinaire. Il lavera les yeux de la tortue avec une petite canule et injectera de la vitamine A. Comme mesure préventive, veillez à une alimentation variée (→ pages 70 à 77).

Remarque : toutes les préparations de vitamines qui contiennent de la vitamine A et D3 doivent être dosées en

Fèces bien formées d'une tortue terrestre saine.

La morsure d'une Tortue happeuse adulte est douloureuse.

fonction du poids corporel de la tortue. Un dosage incorrect peut provoquer un empoisonnement grave.

Empoisonnement dû à la vitamine A

Manifestations : desquamation jusqu'à mise à nu de la chair (→ Dessin, page 82).

Traitement : uniquement par un vétérinaire. Grande importance de la propreté de l'animal (danger d'infections !) et d'une bonne alimentation. Protégez la blessure contre les mouches dans le terrarium/aquarium. Recouvrez soigneusement la blessure d'un baume. Ne donnez pas de vitamine A pendant plusieurs mois.

Empoisonnement par la vitamine D[3]

Manifestations : la carapace devient molle, suinte aux jointures (→ Dessin, page 82).

Les mucosités dans la gorge peuvent se former pendant l'ingestion de nourriture, mais elles peuvent également être un symptôme de maladie.

Tête de Tortue rayonnée. Les yeux clairs et brillants indiquent que l'animal est en bonne santé.

<u>Traitement :</u> uniquement par un vétérinaire. Déplacez la tortue très prudemment. Donnez régulièrement des sels minéraux. Empêchez le contact avec le sable et le gravier. Saupoudrez la nourriture de coquilles d'œufs cuits pulvérisées. Ne donnez pas de vitamine D^3 et éclairez régulièrement par des UV (→ page 78).

Rétention d'œufs

<u>Manifestations :</u> l'animal creu-se et tente de pondre en vain.

<u>Causes possibles :</u> un manque de sels minéraux et d'hormones peut empêcher la ponte, de même que les œufs trop gros et des œufs mal formés, une torsion ou une malformation de l'oviducte, une occlusion par du sable, une blessure du cloaque ou un calcul de la vessie.

<u>Traitement :</u> uniquement par un vétérinaire qui déterminera les causes du problème.

85

Elevage de tortues

Les tortues bien soignées se reproduisent également en captivité. Remarquez toutefois qu'avant de créer un élevage, vous devez faire une déclaration auprès des autorités locales de protection de la nature (→ page 24). C'est indispensable pour obtenir ultérieurement les papiers nécessaires pour les jeunes animaux.

Maturité sexuelle

Chez les tortues terrestres européennes, la maturité sexuelle est atteinte dès l'âge de 3 à 5 ans.
Les tortues palustres européennes atteignent leur maturité sexuelle à 10-12 ans. De nombreuses espèces se reproduisent à un âge compris entre les deux extrêmes cités. La maturité sexuelle précoce est favorisée par de bonnes conditions d'élevage.
La période d'accouplement de la plupart des espèces est située entre fin avril et fin mai. Les facteurs qui déclenchent le comportement sont, par exemple, l'allongement de la durée des jours et de l'ensoleillement.

Conseils pour l'élevage

■ Dans le cas d'espèces qui hibernent, la période d'hibernation doit impérativement être respectée (→ pages 30 à 47).
■ Placez de préférence un couple dans un enclos en plein air durant les mois d'été.
■ En terrarium, vous devrez intervenir pour que vos tortues puissent se reproduire :
■ Séparez les tortues, qui n'hibernent pas, 1 à 2 mois avant la période d'accouplement prévue (séparez les animaux de façon qu'ils ne puissent ni se voir, ni s'entendre, ni se sentir), puis remettez-les ensemble.
■ Eclairez moins longtemps avec la lampe à infrarouges et réglez l'éclairage du terrarium sur 6 heures par jour, au minimum, 3 mois avant la période d'accouplement. Après 2 mois, éclairez 10 à 12 heures pendant 3 à 4 semaines.
■ Réduisez la température de l'air et de l'eau à 4-5°C. Coupez les autres sources de chaleur telles que la lampe à infrarouges et le tapis chauffant dans le sol.
■ En augmentant progressivement la durée de l'éclairage, augmentez progressivement la température de l'eau pendant 3 à 4 semaines. Pendant la dernière semaine

A l'odeur de leurs congénères, les tortues perçoivent s'il s'agit d'un partenaire avec lequel elles peuvent s'accoupler.

87

rebranchez la lampe à infrarouges et/ou le tapis chauffant.

■ Pendant la dernière semaine, arrosez avec une «pluie de printemps» : arrosez le terrarium et les tortues deux fois par jour avec un arrosoir pour plantes (→ Conseil, page 89). Augmentez l'humidité de l'air. Avec l'augmentation de la température, l'humidité est un autre facteur déclenchant l'accouplement.

■ Si vous donnez des aliments frais et tendres et augmentez en même temps la température, les tortues commenceront leur parade d'accouplement.

Fertilisation des œufs

Les mâles synthétisent leur sperme dès l'été précédent et le gardent en réserve pendant l'hibernation.

Les femelles pondent leurs œufs en été et le développement se termine après l'hibernation au printemps. Avant que la coquille ne se forme, l'œuf est fertilisé. Il n'est pas nécessaire qu'un accouplement ait lieu chaque fois, car de nombreuses femelles peuvent conserver le sperme jusqu'à quatre ans ! Il se peut donc que la tortue que vous

venez d'acquérir, et que vous maintenez seule, ponde un œuf fécondé 1 à 3 ans plus tard.

Incubation artificielle des œufs

Toutes les tortues, même les espèces aquatiques telles que

En haut : à l'aide de son diamant, cette petite Tortue d'Hermann ouvre la coquille de l'œuf.

En bas : l'effort de la petite tortue est perceptible. Il lui faut parfois plusieurs heures pour briser la coquille.

Elle a réussi ! Encore un peu recroquevillée en raison de l'exiguïté de l'œuf, la tortue part à l'aventure.

CONSEIL

▼

Pour arroser, utilisez de préférence de l'eau déminéralisée. Sinon, il se forme rapidement une croûte de calcaire sur les vitres du terrarium et il est difficile de l'éliminer.

la Tortue molle (→ page 44), enterrent leurs œufs dans le sol.

Les tortues d'eau douce doivent pouvoir quitter l'eau, par exemple par une rampe, de façon à pouvoir enterrer leurs œufs dans le sable. Placez donc une caisse pour la ponte, remplie de sable, près de l'aquarium. Cette caisse doit être rectangulaire et être au moins deux fois plus longue que la tortue. La hauteur de la couche de sable doit être au moins égale à la longueur de la carapace.

Les tortues terrestres enterrent leurs œufs dans le terrarium lorsque la hauteur de la couche de sable correspond à la longueur de la carapace. Il est bon que le terrarium com-

porte une zone de sable humide et chaud.

De nombreuses espèces pondent tous leurs œufs d'un coup, d'autres à intervalles de 5 à 10 jours. Après la ponte, placez les oeufs en sécurité pour que les tortues ne les endommagent pas dans l'espace limité du terrarium ou d'une caisse pour pondre. Marquez les œufs avec un crayon tendre. Ils ne doivent plus être retournés pendant la période d'incubation, sinon le germe est comprimé par le jaune et meurt. Il est également utile de numéroter les œufs s'ils sont pondus après un intervalle. Vous pouvez calculer vous-même le moment où le jeune va éclore.

La «chambre d'incubation» consiste en une caisse transparente en plastique à moitié remplie de Vermiculite® légèrement humide (matériaux de construction) ou simplement de sable de construction.

Enfoncez à moitié les œufs dans la Vermiculite ou le sable. Refermez la caisse transparente avec un couvercle approprié. Dans la caisse, l'humidité de l'air atteint les 100 % requis. Ouvrez le couvercle et ventilez de l'air frais dans la boîte une fois par jour.

Pour que l'eau de condensation du couvercle ne retombe pas sur les œufs (ce qui peut être mortel), inclinez la caisse sur le côté avec une boîte d'allumettes de façon que l'eau de condensation à l'intérieur du couvercle s'écoule sur un côté. Placez la caisse contenant les œufs dans une pièce où règne une température de 28°C. Cela peut être la cave où se trouve votre chaudière, une serre dans l'enclos en plein air ou encore le terrarium de quarantaine chauffé.

Remarque : la construction suivante permet d'atteindre des températures idéales pour l'incubation des œufs : dans un aquarium en plastique, placez 2 tuiles dressées. Remplissez d'eau presque jusqu'au bord supérieur de la tuile. Placez la boîte en plastique avec les œufs sur les tuiles. Maintenez l'eau à 28°C avec une résistance chauffante pour aquarium. Recouvrez l'aquarium avec une plaque de verre. Assurez l'écoulement de l'eau de condensation à l'aide d'une petite cale en bois. L'éclosion des jeunes animaux a lieu après 30 jours (pour les tortues molles), mais l'incubation peut durer jusqu'à 90 jours pour les Tortues-boîtes

La Tortue palustre de Muhlenberg ne mesure que 11 cm. Elle s'accouple de préférence dans l'eau, comme la plupart des tortues palustres.

Comment deux tortues terrestres s'accouplent-elles?

Dans la nature, les tortues terrestres vivent principalement seules. Les mâles et les femelles se fréquentent uniquement pendant la période d'accouplement, d'avril à mai, pour se reproduire. Les tortues ont un très bon odorat et reconnaissent leur partenaire à l'odeur. Lorsqu'un mâle a découvert une femelle, il l'encercle lentement. Si celle-ci ne reste pas en place et ne s'intéresse pas à lui, le mâle lui mord les pattes avant. De cette manière il l'incite à s'arrêter et à se coucher. Si elle ne le fait pas, le mâle tamponne la carapace de la femelle. Si cette dernière se couche, elle indique au mâle qu'elle est disposée à s'accoupler. Enfin, le mâle monte sur le dos de la femelle par derrière et s'unit à elle. Pendant ce temps, les animaux peuvent émettre un chuintement ou un sifflement. La figure pages 86/87 montre un accouplement de deux tortues terrestres.

Une tortue terrestre mâle élevée seule présente le même comportement. Elle peut utiliser ta chaussure ou une pierre à la place de la tortue femelle.

ornées (*Terrapene ornata*), voire 150 jours (pour *Chelodina longicollis*).

Elevage des jeunes tortues

L'éclosion des œufs de tortues dure de 1 à 3 jours.

Ne dérangez pas les animaux pendant cette période. Laissez les jeunes dans l'incubateur jusqu'à résorption du jaune accroché au cordon ombilical (ce qui peut durer quelques jours). L'incubateur doit naturellement être suffisamment grand.

Les jeunes animaux récemment éclos doivent être élevés à l'écart des parents. Leurs conditions d'élevage sont identiques à celles des adultes (→ pages 30 à 47). Toutefois, il faut attendre environ une semaine avant que les jeunes tortues ne commencent à manger. C'est le temps nécessaire pour que leur métabolisme passe de la digestion du jaune à la digestion de la nourriture solide. Coupez finement les aliments pour que les jeunes tortues puissent aisément les saisir. Veillez à un apport approprié en calcium et en vitamines (→ Compléments alimentaires, page 72)!

Comprendre, apprendre et observer

Avoir une tortue peut être passionnant si vous savez interpréter le comportement de l'animal et si vous prenez le temps de l'observer.

Tout ce que les tortues peuvent faire

Les tortues ne sont pas aussi ennuyeuses qu'on le croit. Certes, elles ne sont pas capables de s'exprimer par des sons comme les chiens et les chats. Toutefois, elles possèdent un langage corporel élaboré qui leur permet de nous faire connaître leur humeur.

Le langage corporel

En captivité, on peut observer les comportements suivants :

Marche le long de la paroi du terrarium ou escalade celle-ci : la tortue marche interminablement le long de la paroi à la recherche d'une issue pour s'échapper.

Souvent elle essaie de grimper par-dessus bord dans un coin du terrarium. Ce comportement est un signal par lequel l'animal manifeste qu'il n'est pas satisfait de ses conditions d'hébergement. Les tortues d'eau douce et palustres expriment le même comportement

en nageant le long de la vitre de leur aquarium. Il est possible que le climat dans le terrarium ou l'aquarium ne soit pas adapté (→ pages 30 à 47). L'aménagement est peut-être trop monotone, par exemple sans possibilité de grimper, ou bien l'environnement est très bruyant (→ page 58). S'il s'agit d'une tortue que vous venez d'acquérir et d'introduire dans votre terrarium/aquarium, elle explore peut-être simplement son nouveau territoire. Après 1 ou 2 jours, la tortue devrait toutefois s'apaiser (→ page 110).

Creusement du sol : si votre tortue terrestre fouille le sol inlassablement avec les pattes arrière et si sa taille indique qu'elle est à un stade de développement entre la puberté et l'âge adulte, votre animal est peut être une femelle qui veut pondre. On observe également ce comportement en l'absence de sol meuble. Par exemple, si vous placez votre tortue sur un support dur, elle fait également des mouvements de fouisse-

CONSEIL

Lorsque votre tortue d'eau douce se met soudain à nager, très agitée, de long en large devant la vitre de l'aquarium, il se peut qu'elle doive pondre. Mettez immédiatement une caisse pour pondre à sa disposition (→ page 89).

Quelque chose sent bon ici! La tortue s'oriente grâce à son excellent odorat.

Tête de Platysterne. Le crochet sur la mâchoire supérieure l'aide à s'agripper dans l'eau.

ment. Dans ce cas, procurez-lui immédiatement une caisse pour pondre (→ page 89).

La tortue fouille le gravier en dessous de l'eau : les tortues d'eau douce se comportent de cette manière quand elles sont à la recherche de nourriture. Vous pouvez en déduire que votre tortue a encore faim ou de nouveau faim.

Etirement des quatre membres : la tortue étire les quatre membres ainsi que la tête et la queue aussi loin que possible à l'extérieur de la carapace. En général, la tête est couchée à plat sur le sol, les yeux sont fermés. Ce comportement est principalement observé quand il y a du soleil, dans l'enclos en plein air et sous la lampe infra-rouge, dans le terrarium/aquarium. L'animal prend un bain de soleil.

Attention : si votre tortue est allongée toute la journée dans cette position sous la lampe

95

infrarouge ou la lampe UV, ceci est un signal d'alarme ! Soulevez la tortue et vérifiez si elle est en bonne santé et active (→ Tableau page 29). Si, au contraire, votre tortue est apathique, elle est vraisemblablement malade et vous devez consulter un vétérinaire.

La tortue se soulève sur ses pattes tendues : elle étire la tête vers le haut : elle est curieuse et peut ainsi mieux observer. En outre, elle peut déposer plus aisément ses excréments.

Tête et pattes rétractées : si votre tortue rétracte sa tête et ses pattes, c'est qu'elle est effrayée.

Escalade d'objets : la tortue escalade avec les pattes avant des objets arrondis tels que des grosses pierres, la pointe de vos chaussures, etc. Vous avez vraisemblablement une tortue mâle qui désire s'accoupler et qui, en l'absence de partenaire, utilise des objets de substitution. Les femelles qui ne souhaitent pas s'accoupler échappent à cette situation en s'enfuyant rapidement. Si vous possédez plusieurs tortues, le terrarium doit être structuré de telle manière que chaque animal dispose de possibilités de retrait suffisantes. Au besoin,

En haut : l'escalade se termine par une chute sur le dos.

En bas : la tortue prend appui sur la tête pour se tirer de cette situation.

En haut : elle peut se retourner en s'appuyant sur la branche.

En bas : en exactement 38,6 secondes, le tour est joué. Enfin, une vision normale des choses !

placez provisoirement les mâles dans un terrarium séparé.

Une tortue tamponne l'autre avec sa carapace : la tortue tamponne son adversaire obliquement à l'avant et/ou essaie de le mordre aux pattes ou au cou. Les tortues expriment souvent ce comportement avant l'accouplement. Les mâles essaient ainsi d'immobiliser la femelle, de l'inciter à se coucher et à se préparer à l'accouplement. En cas de blessures, vous devez séparer les animaux.

Une tortue d'eau douce nage devant une autre : ce faisant, elle tremble, les pattes avant tendues. Occasionnellement, la tortue flaire intensivement la région de la queue. A nouveau, il s'agit d'une parade d'accouplement d'un mâle qui cherche à s'imposer à une femelle. Si la femelle n'est pas disposée à s'accoupler, le mâle peut lui mordre la queue. En cas de risque de blessures, séparez provisoirement le mâle de la femelle.

Une tortue terrestre s'enterre dans une cachette : en outre, elle accumule la nourriture. Ce comportement manifeste le désir d'hiberner. Il se produit en automne, lorsque les jours deviennent nettement plus courts et que le soleil ne monte plus aussi haut. Les tortues terrestres russes manifestent également ce comportement au début du repos estival, pendant les étés chauds (→ page 65). A d'autres saisons, un tel comportement peut également signifier que la tortue est malade. Dans ce cas, consultez immédiatement un vétérinaire.

Les organes des sens

L'odorat est très développé et permet à la tortue de repérer avec certitude un partenaire sexuel ou la nourriture. La perception de la nourriture par une tortue dépend essentiellement de son odorat.

Les tortues aquatiques peuvent sentir sous l'eau aussi bien que sur terre et s'orienter grâce à leur odorat. A cet effet, elles aspirent l'eau par le nez et, par des mouvements du fond de la cavité buccale, la font pénétrer dans la bouche et ensuite la rejettent.

La vue est très bonne, surtout quand il s'agit de détecter des ennemis ou de la nourriture au loin. Ainsi, les tortues d'Hermann peuvent par exemple repérer à une grande distance leur nourriture préfé-

rée, les fleurs jaunes des pissenlits. Elles se fient de préférence à leur excellent odorat. De nombreuses tortues reconnaissent également de loin la personne qui les soigne et vont à sa rencontre.

L'ouïe est moins développée. Les tortues reconnaissent surtout les sons graves. Vous pouvez également appeler vos tortues par un son grave à l'aide d'un instrument de musique qui en produit. J'ai personnellement observé une tortue se dirigeant vers sa maîtresse jouant du piano pour recevoir une friandise.

Les mouvements du sol (piéti-

L'hiver est-il déjà terminé ? La Tortue d'Hermann sort prudemment de son quartier d'hiver.

Lorsqu'elle est complètement sortie du sol, elle se repose encore quelques jours avant de reprendre ses activités.

CONSEIL

▼

Ce n'est qu'au moment de l'accouplement que les tortues mâles émettent des sifflements, des grognements ou des râles. Ces sons sont également audibles lorsque la tortue est atteinte d'une grave affection des voies respiratoires (→ page 81). Le reste du temps, les tortues sont muettes.

nement, chute de pierre) sont perçus, car les vibrations peuvent être transmises par les pattes et la carapace à l'oreille interne.

La tortue ne possède pas de pavillon et le tympan se trouve directement sous la peau. C'est pourquoi l'oreille est souvent difficile à repérer. L'oreille se trouve un peu derrière la «joue» et est souvent recouverte de peau cornée ou d'écailles (→ photo page 68).

La carapace des tortues

C'est la caractéristique la plus marquante des tortues. Ce serait cependant une grave erreur de prendre le terme «carapace» au sens littéral. Elle est constituée principalement de matière vivante sensible.

Les plaques osseuses constituent l'élément de soutien de la carapace et sont formées en partie de la colonne vertébrale, des côtes, de la ceinture scapulaire et des parties ossifiées du derme. La carapace fait donc partie du squelette. Cette dossière est recouverte de périostes sensibles.

Le périoste est très sensible et simplement recouvert de plaques cornées. Toute personne qui a déjà reçu un coup sur le tibia et dont le périoste a été blessé sait à quel point cela fait mal.

Les plaques cornées sont uniquement constituées de tissus insensibles comparables à l'ongle humain.

Remarque : entre les plaques cornées vous remarquerez des rainures et, dans celles-ci, des zones claires qui sont les pôles de croissance de la couche cornée. Elles sont donc minces. Cela signifie que ces régions ne sont pas protégées et sont très sensibles aux griffes et aux coups d'ongles. Elles ne doivent en aucun cas être nettoyées à la brosse !

La carapace des tortues terrestres devient, en vieillissant, plus rugueuse, et la carapace cornée devient plus épaisse. Elle s'use cependant lorsque l'animal se frotte sur les racines, les épines et les pierres ou s'enterre dans le sol. Tant que l'animal est en bonne santé, il n'y a jamais usure totale des plaques cornées. Chez de nombreuses tortues d'eau douce, telles que *Chrysemis cuora* et *Chelodina sp.* (→ pages 30 à 47) l'usure totale de la mince couche des

La Chrysémide peinte apprécie les bains de soleil. On peut la maintenir dans un enclos en plein air de fin mai à septembre.

Les tortues terrestres peuvent-elles nager ?

Malheureusement, non. De nombreuses tortues terrestres se noient dans l'eau trop profonde parce qu'elles ne peuvent remonter à la surface à cause du poids de leur carapace. Si un tel accident se produit dans l'étang de ton jardin, tu dois agir le plus rapidement possible. Retire immédiatement la tortue hors de l'eau et maintiens-la tête en bas. Ainsi, l'eau qu'elle a déjà avalée peut ressortir de ses poumons. Ensuite, consulte rapidement un vétérinaire. L'eau dans le bassin de ta tortue ne doit jamais dépasser la moitié de sa carapace. Ainsi, elle peut toujours respirer. Pour les jeunes tortues, tu dois placer une marche dans le bassin pour qu'elles puissent plus facilement entrer et sortir. Le dessin page 53 en haut te montre comment faire. Les tortues géantes sont de bonnes nageuses. Elles se nourrissent d'algues. Ces algues poussent dans la mer, mais à marée basse, les tortues peuvent facilement les brouter. Lorsque la marée monte et recouvre à nouveau la côte, les tortues se laissent simplement repousser vers la terre. Sur la couverture du livre, on peut voir la tête d'une tortue géante.

plaques cornées est normale. Les tortues molles se signalent par une régression particulière de la carapace (→ page 44). La dossière aplatie est simplement recouverte d'une peau épaisse semblable à du cuir. Il n'y a pas de plaques osseuses. Le plastron est constitué d'os élargis dans la région de la ceinture pelvienne et scapulaire. La plus grande partie des flancs est, elle aussi, simplement recouverte d'une peau molle. Or, il faut savoir que les tortues molles vivent enfouies dans le sable et respirent par la peau de leur corps. L'oxygène est absorbé à travers la peau et le dioxyde de carbone rejeté dans l'eau. C'est pourquoi les tortues molles sont très sensibles à la propreté de l'eau de l'aquarium et aux blessures de la carapace et sont sujettes à des inflammations.

Les charnières constituent une autre particularité des carapaces des spécimens que l'on rencontre chez les Tortues-boîtes (→ page 35). Il s'agit là d'un perfectionnement étonnant de la carapace. Quand une tortue «normale», telle que la tortue d'Hermann, rétracte la tête, les pattes avant et arrière dans la carapace, la peau sensible des pattes reste toujours accessible de l'extérieur. En revanche, chez la Tortue-boîte, la bouclier ventral se relève à l'avant et à l'arrière comme un pont-levis. De cette manière, toutes les ouvertures du corps sont fermées et parfaitement protégées.

D'autres tortues mentionnées dans ce livre possèdent des mécanismes comparables comme par exemple le Cinosterne rougeâtre (*Kinosternon subrubrum*) (→ page 46) et les tortues du genre *Kinixys* (→ pages 34 et 36) qui possèdent une charnière sur la dossière.

Remarque : prenez garde quand vous achetez des jeunes, ou des tortues au stade de la puberté, qui possèdent une excroissance importante sur la carapace et semblent très particulières. Les os et les plaques osseuses ressortent en forme de quilles. Vraisemblablement, il s'agit là d'individus malformés, ayant reçu une nourriture inadaptée et qui peuvent également être affectés d'un trouble du métabolisme. N'achetez en aucun cas de telles tortues. En fait, il existe des tortues terrestres qui possèdent des «pyramides cornées» très apparentes sur la carapace

La Tortue-boîte possède une charnière à l'avant et à l'arrière du plastron et peut ainsi le relever.

quand elles vieillissent. De même, certaines espèces de tortues palustres américaines et asiatiques telles *Malaclemys* et les jeunes de la *Kachuga smithii* ou de *Graptemys kohnii* possèdent naturellement des écailles dorsales carénées (→ page 41). Souvent, le nom vernaculaire correspond à cette particularité.

La couleur de la carapace est variable et dépend de plusieurs facteurs.

Les jeunes Tortues-boîtes ornées, par exemple, sont vertes comme de l'herbe, tandis que les adultes ont une carapace brun sombre. Chez de nombreuses autres espèces, la coloration de la carapace

En cas de danger ou pendant son sommeil, cette charnière lui permet de refermer toutes les ouvertures du corps.

change avec l'âge, même si ce n'est pas de manière aussi radicale chez les Tortues ornées.

En captivité, les tortues sont presque toujours ternes, alors que dans leur milieu naturel, les couleurs sont plus vives et plus intenses. La coloration dépend, par exemple, de l'ensoleillement naturel, de la variété du régime alimentaire et du substrat (pierres, épines et racines) sur lequel les tortues «polissent» leur carapace.

Bec et griffes

Le bec : à la place de dents, les tortues possèdent des crêtes cornées avec lesquelles elles arrachent aisément les plantes et déchirent la viande. Les crêtes cornées croissent continuellement. Comme la mâchoire est très musclée, les grands exemplaires de tortues palustres ou tortues d'eau douce peuvent fort bien mordre l'homme très profondément. Souvent, les crêtes cornées forment un crochet à l'extrémité de la mâchoire. Chez certaines espèces, telles que *Cyclemis mouhoti* (→ page 46), seule l'extrémité de la mâchoire supérieure est prolongée d'un crochet et l'animal s'en sert pour grimper. Chez de nombreuses tortues terrestres, les crêtes cornées sont aiguisées comme des couteaux. Elles peuvent aisément couper les végétaux contenant des fibres dures.

Les griffes : elles croissent continuellement comme les crêtes cornées. Veillez à ce que la tortue dispose d'un sol dur dans le terrarium et l'enclos en plein air pour que les griffes puissent s'user (→ pages 50 à 63).

Lorsque les griffes sont trop longues, la tortue reste accrochée dans les crevasses et peut ainsi s'arracher les ongles. Ceci peut entraîner des inflammations graves que le vétérinaire devra traiter.

Une bonne acclimatation

Une tortue nouvellement acquise doit d'abord être placée en quarantaine avant d'être installée dans le terrarium/aquarium (→ page 58), même si, extérieurement, elle paraît parfaitement saine et si son comportement vous semble tout à fait normal. Une maladie due à des vers ou une infection n'est pas perceptible immédiatement. Les œufs des vers rejetés avec les excréments peuvent infecter les tortues dans le terrarium ou l'aquarium et des maladies infectieuses peuvent être transmises aux autres tortues.

Tout d'abord un bain !

Avant de placer la tortue en quarantaine, vous devez lui faire prendre un bain. A cette occasion, examinez à nouveau votre tortue et vérifiez si elle n'est pas blessée ou s'il n'y a pas de parasites. Des tiques et des acariens peuvent se nicher dans les replis de la peau (→ Dessin page 66).

Les tortues terrestres et palustres seront placées dans une grande écuelle remplie d'eau à 26°C de façon que la tête de la tortue reste hors de l'eau. Pendant qu'elle prend son bain, la tortue peut boire et les saletés résiduelles se détachent progressivement du corps. Un bain de 10 à 20 min. suffit en général.

Une tortue d'eau douce doit également être baignée avant d'être placée dans un aquarium de quarantaine. Ainsi, l'eau du bassin dans le terrarium/aquarium reste plus longtemps propre.

On apprivoise sa tortue «avec de bons petits plats». On peut faire sortir de sa cachette une tortue, même timide, en l'attirant avec de la nourriture fraîche.

Durant les chaudes journées d'été, la tortue terrestre aime s'enterrer dans son enclos en plein air.

Après le bain, placez la tortue dans le terrarium ou aquarium de quarantaine et laissez-lui tout d'abord trouver un abri. Une tortue terrestre doit d'abord être séchée car l'animal stressé peut perdre sa chaleur corporelle sous l'effet de l'évaporation de l'eau. Laissez la tortue dans son abri jusqu'à ce qu'elle en sorte spontané-

ment. Vous pouvez accélérer sa sortie en l'attirant tous les jours avec de la nourriture.

Prélever des échantillons d'excréments

Les excréments de la tortue permettent de savoir si elle est infectée par des vers. Faites examiner les excréments par un laboratoire vétérinaire ou un vétérinaire. Les infections et autres maladies peuvent uniquement être détectées en observant attentivement le comportement de la tortue (→ page 78).

La tortue doit rester en quarantaine jusqu'à ce que son état de santé paraisse «cliniquement correct».

Manière de prélever des échantillons d'excréments : procurez-vous chez le vétérinaire trois récipients spéciaux dont le couvercle est doté d'une petite cuillère. Prélevez des échantillons d'excréments trois jours de suite. Une goutte d'eau dans chaque récipient évitera la dessiccation de l'échantillon, qui empêcherait toute analyse valable. L'échantillon le plus ancien ne doit pas avoir plus de cinq jours lorsque vous l'apportez chez le vétérinaire. Entretemps placez les échantillons dans un réfrigérateur pour éviter le développement de moisissures, sinon ils seraient également inutilisables.

Remarque : les tortues produisent une urine blanche à jaunâtre, quelquefois rosée, onctueuse, semblable à de la mie. Elle ne peut pas servir à la recherche de parasites.

L'urine est occasionnellement séparée des excréments, mais souvent produite en même temps que ceux-ci.

CONSEIL

▼

Pour transporter la tortue en toute sécurité, par exemple chez le vétérinaire, placez l'animal dans un sac en coton. Déposez ensuite le sac contenant la tortue dans un carton (carapace vers le haut). En hiver, mettez une bouillotte sous le sac pour que l'animal ne prenne pas froid.

Les cordons du sac de transport doivent être placés à l'extérieur pour que la tortue ne s'empêtre pas dedans.

Habituer la tortue à ses congénères

Comme les tortues sont naturellement solitaires, il est particulièrement important que chaque animal dispose dans le terrarium/aquarium d'une place suffisante et d'un nombre suffisant d'abris ou d'îlots pour se chauffer. Sinon, elles peuvent se disputer. De préférence, il doit y avoir 1 à 2 îlots et abris de plus que le nombre de tortues dans le terrarium/aquarium.

Un «ancien occupant» mis en présence d'une tortue nouvellement acquise défend parfois âprement son territoire, c'est-à-dire la totalité du terrarium/aquarium face au nouvel occupant. Il peut

En hiver, placez une bouillotte en dessous du sac en tissu pour que l'animal ne prenne pas froid.

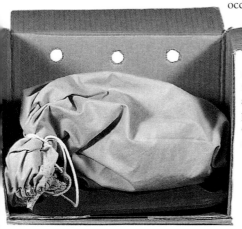

arriver que la nouvelle tortue soit tellement pourchassée qu'elle n'ose plus sortir de son abri et ne puisse pas s'alimenter. Dans ce cas, placez l'ancien occupant pendant environ 15 jours dans un terrarium/aquarium de quarantaine (→ page 58). Pendant ce temps, la tortue nouvellement acquise aura le temps de s'habituer au terrarium/aquarium, elle prendra de l'assurance et ne se laissera plus aussi aisément pourchasser. Si, malgré toutes les mesures de prudence, les combats restent incessants, il n'y a pas d'autre solution que de séparer définitivement les tortues.

Remarque : il est judicieux, pour habituer les tortues à vivre ensemble, de les installer pendant l'été dans un enclos en plein air. Dans cet environnement proche de leur milieu naturel, les animaux peuvent s'éviter et se cacher plus aisément. Il existe des cas où de nombreuses tortues vivent sans problème avec leurs congénères en terrarium/aquarium jusqu'à la période de l'accouplement. Vérifiez toujours que les mâles ne harcèlent pas les femelles pendant cette période. Même dans un grand aquarium ou un enclos en plein air, les femelles n'ont aucune chance d'échapper indéfiniment aux mâles. Le mâle retrouve toujours la femelle grâce à son odorat et il faut l'écarter temporairement.

Observer les tortues et s'en occuper

Les tortues ne sont pas des animaux domestiques qui rempliront complètement vos heures de loisirs. Cependant, vous pourrez faire des observations intéressantes sur le comportement de l'animal que vous soignez, à condition toutefois que l'aménagement du terrarium ou de l'aquarium ne soit pas monotone. Il est également possible d'établir un contact personnel avec ces reptiles préhistoriques. Vous pourrez apprivoiser vos tortues si vous vous occupez d'elles régulièrement et si vous leur apprenez à venir quand vous les appelez pour recevoir de la nourriture.

Jouer à cache-cache

Dans la nature, les tortues terrestres parcourent de grandes distances à la recherche de nourriture. Dans le terrarium, l'espace est limité et la recherche de nourriture n'est pas nécessaire puisque vous y pourvoyez. Toutefois, il est possible de faire trottiner les tortues en terrarium pour qu'elles continuent à exercer leur excellent odorat.

Cachez, en plus de la ration normale de nourriture, quelques friandises telles que des fleurs de pissenlits ou de

pâquerettes, des feuilles de salade, un petit morceau de banane, un morceau de tomate ou un peu de persil en différents endroits du terrarium, par exemple derrière une pierre, sur une racine ou dans différentes anfractuosités que vous aurez aménagées pour vos tortues. Plus un terrarium est structuré et plus il y a de cachettes, plus intéressant il est pour votre tortue. Guidée par l'odeur de l'aliment qu'elle apprécie, votre tortue terrestre se mettra directement en chasse. De cette manière, vous pourrez occuper votre tortue pendant des heures dans le terrarium suivant votre réserve de friandises.

Remarque : ne laissez pas votre tortue se promener librement dans votre appartement pour qu'elle fasse suffisamment d'exercice. En effet, elle pourrait prendre froid à cause des courants d'air et les risques de maladie à issue mortelle sont trop élevés (→ page 78).

Les tortues palustres et d'eau douce peuvent également être maintenues en forme en les sollicitant avec des friandises. Bricolez un distributeur de vers de farine. Percez une série de trous de 2 mm dans un tube en Plexiglas de 20 cm de long.

Détente. Ne laissez jamais un chat et une tortue ensemble sans surveillance.

Suspendez le tube à l'aide de deux fils au-dessus de l'eau, les trous dirigés vers le bas. Placez quelques vers de farine dans le récipient et refermez les extrémités à l'aide de bouchons. Les vers de farine se déplacent dans le tube jusqu'à ce qu'ils découvrent les trous. Ils essayent alors de s'échapper et tombent dans l'eau par intermittence. Là, la tortue se délecte de ces friandises inattendues. Comme la tortue ne sait pas exactement quand la friandise suivante tombera dans l'eau, elle guette avec attention jusqu'à la chute du ver suivant et se précipite dessus.

Remarque : il n'est pas difficile d'élever des vers de farine, mais vous pouvez également les acheter en animalerie.

Apprivoiser les tortues

La nourriture joue un rôle fondamental dans la vie d'une tortue. Aussi, c'est surtout avec des friandises que vous pourrez l'attirer et l'apprivoiser.

Observez votre tortue et déterminez quel est son plat préféré. Prenez la friandise entre le pouce et l'index et maintenez-la devant le bec de votre tortue terrestre ; dans le cas d'une tortue d'eau douce, maintenez la nourriture à la surface de l'eau.

La tortue viendra d'abord sentir prudemment la nourriture à laquelle est associée l'odeur étrangère de votre main. Ensuite, elle commencera à manger timidement. Evitez tout mouvement brusque qui effrayerait la tortue et lui ferait perdre sa confiance en vous. En règle générale, la plupart des tortues s'habituent rapidement à votre main ou à votre personne. Elles se réjouiront ensuite de votre arrivée, car celle-ci est associée à l'idée de friandise.

Remarque : il est difficile de dire combien de temps il faut pour apprivoiser une tortue. Cela dépend de la façon dont elle a été accoutumée avant d'entrer en votre possession et des bonnes ou mauvaises expé-

La tortue a une mauvaise vision des objets trop rapprochés. Elle peut quelquefois, par inadvertance, mordre votre doigt au lieu du pissenlit.

Peut-on apprendre à une tortue à reconnaître son nom ?

De nombreuses tortues reconnaissent au son de la voix et à l'intonation qu'on les appelle. Toutefois, une tortue n'entend pas aussi bien qu'un chien. Ta tortue comprend surtout les sons graves. Tu dois y penser lorsque tu lui donnes un nom. Choisis un nom avec beaucoup de «O» ou de «OU» mais pas de voyelles aiguës comme le «I». Sandra a appris à sa tortue terrestre à répondre à son nom. Elle s'est placée à environ un mètre devant l'animal sur la pelouse. Là elle a lu lentement des noms qu'elle avait écrits sur un papier : Goliath, Toutou, Otto, Bobo, Cora, Monique, Conrad, Mona. Quel est le nom que la tortue a choisi ? Lorsque Sandra a lu les noms une deuxième fois, la tortue est venue vers elle quand elle a prononcé «Otto». Donc, Sandra a baptisé immédiatement sa tortue Otto. Naturellement, la tortue ne savait pas qu'elle avait choisi son nom. En fait, elle a découvert la fleur de pissenlit que Sandra lui a présentée pendant qu'elle lisait les noms. Le pissenlit est la nourriture préférée d'Otto.

riences qu'elle a faites. De nombreuses tortues ne se départissent cependant jamais de leur timidité naturelle ou redeviennent plus farouches en été, lorsque vous les maintenez dans un enclos en plein air.

Dressage sommaire

Lorsque vous aurez constaté que votre tortue mange volontiers dans votre main, vous pourrez tenter de lui apprendre d'autres «tours».

Grimper sur la main : placez une friandise sur votre poignet. Maintenez la main ouverte devant votre tortue comme s'il s'agissait d'un plan incliné pour atteindre sa nourriture préférée.

Répondre à un signal sonore : la tortue perçoit surtout les sons graves. Il est possible de l'habituer à venir manger quand elle entend le son d'une cloche ou le son grave d'un instrument. Cette performance impressionnera tout particulièrement vos invités. Ils ne devront cependant pas être déçus s'ils ne réussissent pas à «dresser» leur propre tortue. De nombreuses tortues restent insensibles. Elles n'en sont pas moins intéressantes.

Résoudre les problèmes

Les tortues sont des animaux domestiques très patients. Les problèmes viennent principalement d'erreurs de l'éleveur ou d'informations fausses sur les besoins de l'animal.

Elle nage ou se promène le long de la vitre

Situation : la tortue marche ou nage pendant des heures ou des jours le long de la vitre du terrarium.

Causes possibles :

1. Il est possible que votre tortue placée dans un nouveau terrarium explore minutieusement le territoire inconnu. Ce comportement doit cesser après 1 ou 2 jours.

2. Vous avez peut-être modifié récemment l'équipement ou la décoration ou vous avez fait le grand nettoyage. Il se peut que l'environnement soit devenu trop chaud, trop sec ou trop bruyant par rapport à la situation antérieure. Les odeurs fortes et les vibrations sont également défavorables (→ page 94).

3. Plusieurs tortues vivent dans le terrarium/aquarium. Lorsqu'elle grandit, en particulier lorsqu'elle atteint la maturité sexuelle, une tortue peut devenir dominante et opprimer l'autre par sa simple présence (ou le désir de s'accoupler). L'animal dominé est inquiet et cherche son salut dans la fuite, ce qui est évidemment impossible dans un terrarium/aquarium.

4. Vous possédez une tortue femelle pubère ou adulte. Même en l'absence de mâle, la femelle produit parfois des œufs non fécondés. Lorsqu'elle n'a pas la possibilité de déposer les œufs, se produit une rétention d'œufs (→ page 85). Ce comportement est marqué par une inquiétude croissante.

Solutions :

1. Fournissez des cachettes suffisantes à l'animal et de la nourriture fraîche. Après un ou deux jours, la tortue se calmera d'elle-même.

2. Vérifiez les conditions climatiques (→ pages 30 à 47). Pour les mesures, utilisez un thermomètre de précision ! Evitez les vibrations en fixant les instruments sur la paroi ou en les plaçant sur une table adjacente. Souvent, il suffit de placer un support en mousse. Vérifiez si des odeurs fortes, par exemple un désinfectant ou une substance aromatique (huiles essentielles), ne provoquent pas l'inquiétude de la tortue.

3. Isolez l'animal durant la période d'acclimatation. Si, en automne ou à la fin de l'été, le comportement ne change pas, il faut séparer définitivement les animaux.

4. Installez immédiatement une caisse pour pondre (→ page 89).

La tortue reste toute la journée dans son abri

Situation : la tortue se retranche toute la journée dans son abri.

Causes possibles :

1. Un animal nouvellement acquis a besoin d'un certain temps pour s'habituer à son nouvel environnement. Ce comportement est normal.

2. La tortue est peut-être active la nuit et se cache uniquement durant la journée.

3. Il se peut que la tortue se prépare à hiberner. La tortue terrestre russe manifeste également ce comportement en été (→ Estivation, page 65).

4. C'est aussi le cas des tortues malades. Vous devez être particulièrement attentif si l'animal est maigre et faible, s'il émet des râles en respirant et/ou s'il dépose des excréments malodorants.

Solutions :

1. Laissez l'animal un ou deux jours au calme et fournissez-lui de la nourriture fraîche (→ page 70).

2. Vérifiez si votre tortue est réellement nocturne (→ pages 30 à 47). Adaptez-vous au rythme biologique de votre tortue. Ne la dérangez pas durant la journée et nourrissez-la uniquement tôt le matin et le soir.

3. Vérifiez si votre tortue doit hiberner (→ pages 30 à 47). Si oui, prenez immédiatement les mesures nécessaires (→ page 65).

4. Dans le cas d'un animal malade, n'hésitez pas à consulter un vétérinaire. Dans le cas où les excréments sentent mauvais, emportez de préférence un échantillon (→ page 106).

La tortue se repose trop longtemps sous la lampe infrarouge

Situation : il se peut que votre tortue reste plus longtemps que de coutume (normalement 1 à 2 heures par jour) sous la lampe à infrarouges.

Causes possibles :

1. Si votre tortue est active et a bon appétit, il se peut que la température en dehors de la zone chaude soit trop basse par rapport à celle conseillée pour cette espèce (→ pages 30 à 47).

2. Si elle vous semble en outre «faible» et ne mange pas, elle est vraisemblablement malade.

Solutions :

1. Vérifiez quelle est la tempé-rature conseillée (→ pages 30 à 47).

2. Une tortue malade cherche à stimuler ses défenses corporelles en augmentant la température du corps. Le danger de déshydratation est particulièrement grand chez les jeunes tortues. Prenez garde également à l'éclairage d'une nouvelle lampe UV. Une durée d'irradiation trop élevée peut provoquer des coups de soleil sur la peau et les yeux. En cas de doute, demandez l'avis d'un vétérinaire.

La tortue mange du sable et du gravier

Causes : même dans la nature, en se nourrissant, la tortue absorbe toujours du sable dans l'estomac. Ceci n'est pas absolument nuisible. Cependant, en captivité, on observe très souvent que les tortues

Celui qui parvient à renverser l'autre sur le dos est le vainqueur.

d'eau douce avalent du gravier. Si elles le font trop souvent, ce comportement peut provoquer une occlusion mortelle de l'intestin.

Solutions : changez immédiatement le fond de l'aquarium et placez du sable fin au lieu de gravier.

Nourrissez la tortue souvent et fournissez une nourriture riche en fibres de façon que les pierres soient emballées dans l'intestin et soient plus aisément excrétées. Donnez en même temps du calcium et des oligo-éléments en plus grandes proportions dans la nourriture (→ page 72).

Les tortues se mordent

Situation : deux ou plusieurs tortues dans un terrarium ou un aquarium se poursuivent, se mordent et se blessent.

Causes :

1. Vous possédez un couple de la même espèce ou d'espèces apparentées ayant atteint la maturité sexuelle. Il peut s'agir d'un comportement sexuel, surtout lorsque ce comportement se produit durant les mois d'avril à juillet.

2. Lorsque vous possédez des animaux d'espèces différentes,

Grandes et petites tortues s'entendent bien, mais il ne faut pas les nourrir ensemble (→ page 75).

éventuellement uniquement des mâles, il peut s'agir d'un comportement agressif qui peut avoir différentes causes. Parfois les mâles rivalisent dans des combats. Dans d'autres cas un mâle ayant un comportement sexuel très marqué peut considérer un autre mâle, dont le comportement sexuel est plus faiblement exprimé, comme une

La Tortue de Halsberger a pris peur. Immédiatement, elle rentre la tête sous la protection de sa carapace.

femelle et chercher par une parade à s'accoupler avec lui. A cette occasion, ils peuvent également se mordre, ce qui peut occasionner des blessures mortelles vu l'impossibilité de fuir.

Solution : en cas de combats répétés, vous devez séparer les couples qui ne se supportent pas et également les mâles rivaux.

La tortue perd sa peau

Situation : la tortue perd de grandes plaques de peau au niveau de toutes les parties molles.

Causes : dans le cas d'une tortue terrestre, il s'agit d'un symptôme de maladie, qui peut notamment être due à un manque de vitamines (→ page 72). Ceci peut également résulter d'une exposition aux UV trop intense.

En revanche, dans le cas des tortues d'eau douce, la mue est un phénomène normal, que l'on observe une à deux fois par an. Toutefois sous la peau morte, doit se reformer une nouvelle peau intacte.

Solutions : chez vos tortues terrestres, évitez tout nouvel éclairage UV et voyez un vétérinaire. Chez une tortue d'eau douce, vous devez vérifier l'intégrité de la peau et en cas de doute consulter un vétérinaire.

Croissance d'algues sur la carapace

Situation : en particulier sur la carapace des tortues d'eau

115

douce croissent des algues bleues ou des algues vertes filamenteuses qui lui donnent l'aspect d'une «fourrure» verte.

Causes : chez les tortues terrestres, ceci ne se produit pratiquement jamais. En revanche, chez les tortues d'eau douce, ce phénomène s'observe surtout lorsque vous les maintenez dans un terrarium en plein air, un étang de jardin ou dans un aquarium à l'intérieur de l'habitation fortement éclairé par le soleil.

Solutions : la croissance d'algues sur la carapace n'est pas dangereuse chez les tortues d'eau douce, car leur carapace se desquame une à deux fois par an. Toutefois, ce «tapis d'algues» vous empêche de bien observer la carapace. Il vous est donc plus difficile de remarquer des dommages ou maladies éventuelles. Aussi, observez soigneusement votre tortue.

Embryons morts dans les œufs

Les éleveurs expérimentés pourront reconnaître dès les premiers jours si un œuf de tortue est fécondé ou non. Après 3 à 4 semaines, en général, même les profanes peuvent savoir avec certitude si l'œuf est fécondé. Placez vos œufs de tortue (naturellement avec la marque vers le haut (→ page 89)) entre le pouce et l'index devant une source de lumière forte, par exemple une lampe de bureau.

Les œufs fécondés à un stade de développement précoce se reconnaissent aux vaisseaux sanguins à l'intérieur de l'œuf, par la suite au fait que la zone interne est sensiblement plus sombre.

Les œufs non fécondés présentent deux taches claires distinctes, à savoir une bulle gazeuse très claire et une partie un peu plus sombre qui est constituée de vitellus desséché, et deviennent de plus en plus légers car ils se déssèchent tandis que les œufs fécondés deviennent de plus en plus lourds.

Causes : lorsque l'embryon meurt dans l'œuf, cela n'est généralement pas dû à la technique d'incubation artificielle (→ Incubation artificielle des oeufs, page 88). Beaucoup plus souvent, la mère n'a pas reçu suffisamment de vitamines ou

Cette petite tortue terrestre n'a que quelques jours et pèse déjà 20 g.

Comment faire de ta tortue une amie ?

Lorsque tu veux faire plaisir à ta tortue, veille à ce que son terrarium ou son aquarium soit toujours propre. Pour qu'elle ne s'ennuie pas, installe de nombreuses cachettes. Les tortues terrestres rampent volontiers sous les racines, tandis que les tortues d'eau douce aiment prendre le soleil sur un îlot émergé, par exemple sur un morceau de bois. De là, elles peuvent aisément fuir en plongeant dans l'eau. Construis pour ta tortue des obstacles en pierres ou à l'aide de grosses branches. Cache également sa nourriture dans le terrarium. Ainsi, elle sera occupée un bon moment. Les tortues d'eau aiment monter sur une souche placée dans l'eau. Tu peux en acheter en animalerie. Donne toujours de la nourriture fraîche à ta tortue.

d'autres substances vitales et l'embryon est trop faible dans l'œuf en raison de l'absence de ces substances et il en meurt. Ceci peut se produire même peu avant l'éclosion. Dans ce cas, vérifiez vos conditions d'élevage et améliorez l'apport en vitamines, oligo-éléments et lumière naturelle chez la mère.

Des plaques cornées se détachent de la carapace

Situation : la tortue terrestre a des plaques cornées qui se détachent et en dessous desquelles un liquide rosé semblable à de l'eau est visible ; il s'écoule lorsque l'on appuie sur la plaque cornée. Chez la tortue d'eau douce, les plaques cornées se détachent séparément, parfois toute la dossière s'enlève d'un seul coup.

Causes : chez la tortue terrestre il s'agit d'un symptôme de maladie, résultant peut-être d'une infection bactérienne ou fongique. Chez la tortue d'eau douce, la desquamation de plaques cornées une à deux fois par an est normale, pour autant que la couche cornée sous-jacente soit intacte.

Solutions : dans le cas d'une tortue terrestre, consultez immédiatement un vétérinaire. Pendant le traitement, placez la tortue dans un terrarium de quarantaine et désinfectez l'enclos. Dans le cas d'une tortue aquatique, cette mesure ne doit être prise qu'en cas de maladie, par exemple si, sous la plaque cornée qui vient de s'écorner, vous observez la même chose que ce qui a été décrit pour les tortues terrestres.

Ma tortue

Collez ici la photo préférée de votre tortue.

_____

Nom

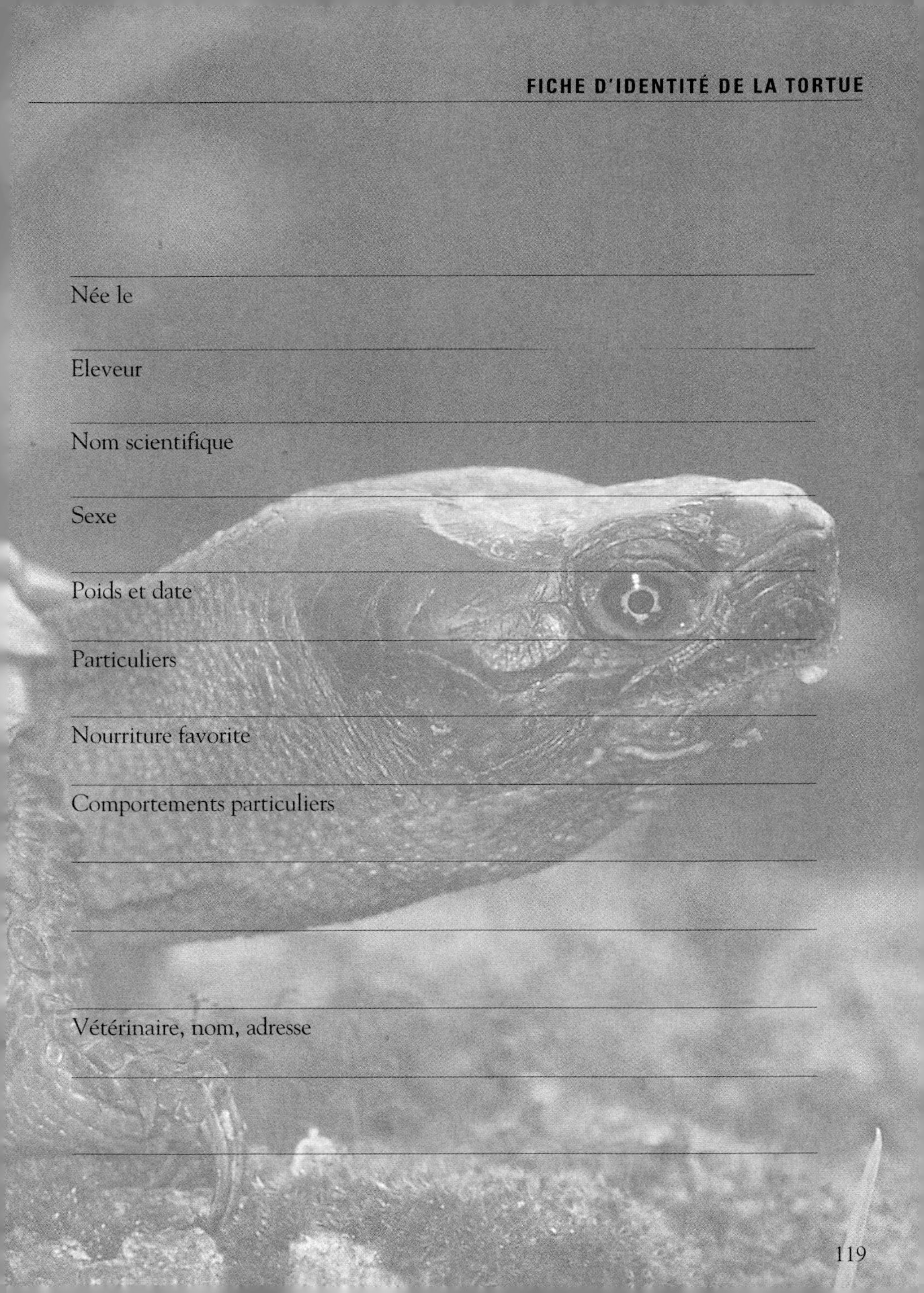

Née le

Eleveur

Nom scientifique

Sexe

Poids et date

Particuliers

Nourriture favorite

Comportements particuliers

Vétérinaire, nom, adresse

Les numéros de pages indiqués **en gras** se rapportent aux photos et aux illustrations.

**Avec des tomates, la
Tortue d'Horsfield peut
étancher sa soif.**

Cette Tortue d'Horsfield mâle fait une demande en mariage à sa promise.

Le mâle pousse la femelle à l'accouplement.

ADRESSES, LIVRES UTILES ...

Adresses utiles

Société Herpétologique de France
Cette association publie un bulletin d'information.

SOPTOM
Village des Tortues
Les Plaines
83 590 Gonfaron
Tél. : 04.94.78.26.41

REPTAS
Société d'Etude, de Protection et de Terrariologie des Reptiles et Amphibiens
Le Coteau
38 160 St Marcellin

PRODAF
Les Professionnels de l'Animal Familier
2, avenue Jean Moulin
94 120 Fontenay-sous-Bois
Cette association fournit des informations générales sur les animaux, publiées sous forme de brochures.

Ouvrages utiles

L'Aquarium,
Dauner Henri, De Vecchi, 1988.

Tortues terrestres et aquatiques,
Dauner Henri,
De Vecchi, 1988.

Le Grand Livre des Tortues terrestres et aquatiques,
V. Ferri, De Vecchi, 1990.

La Tortue luth (Dermochelys coriacea) sur les côtes de France,
Duguy R., Ann. Soc. Sci. Natur. de la Charente-Maritime, 1983.

Toutes les tortues du monde, F. Bonon, B. Devaux, A. Dupré,
Les encyclopédies du naturaliste, Delachaux et Niestlé, 1996.

Revues

MANOURIA
Revue francophone d'élevage, d'étude et de conservation des Chéloniens
Comité de rédaction en France : Roger Bour : 01. 40.79.34.88
Pour tout renseignement s'adresser à :
A. Cupulatta
Lieu-dit Vignola
20 133 Ucciani
Tél - fax : 04.95.52.82.34

L'auteur

Hartmut Wilke est spécialiste de biologie marine et de recherche halieutique des universités de Mayence et d'Hambourg. Il est titulaire d'un doctorat sur les maladies des poissons. De 1973 à 1983, il a dirigé «l'exotarium» du jardin zoologique de Francfort. Depuis 1983, il est directeur du vivarium du jardin zoologique de Darmstadt.

Le photographe

Les photographies de ce livre ont été réalisées par Uwe Anders, excepté celles des pages 42 en bas et 43, réalisées par Kahl, et celles des pages 36 en bas et 42 en haut, réalisées par Reinhard.
Uwe Anders est diplômé de biologie et exerce depuis quelques années les activités de photographe et de caméraman pour des producteurs de documentaires naturalistes. Il écrit des articles sur ce sujet et enseigne la photographie de la nature et des voyages dans différents établissements. Dans cette collection sont déjà parus de nombreux guides sur les animaux illustrés par ses photos.

125

L'illustratrice

Renate Holzner est illustratrice et réside à Regensburg. Elle possède une grande expérience et exécute aussi bien des dessins au trait que des illustrations extrêmement réalistes ou les conceptions assistées par ordinateur.

Photos de couverture et du livre

Première : Tortue-boîte commune (grande photo) ; Tortue rayonnée (petite photo).
Pages 2/3 : la Tortue de Floride prend un bain de soleil.
Pages 6/7 : la Clemmyde sculptée dans le bassin de son enclos en plein-air.
Pages 48/49 : la Tortue d'Hermann déguste quelques petits morceaux de tomate sur son «plateau-repas» en pierre.
Pages 92/93 : les Tortues terrestres peuvent être très bien apprivoisées.
Quatrième : une Tortue grecque et une Tortue d'Horsfield.

Edition

L'édition originale de cet ouvrage a été publiée sous l'intitulé *Die Schildkröte, Mein Heimtier* par Gräfe und Unzer Verlag GmBH, Munich.
©1997 Gräfe und Unzer Verlag GmBH, Munich.

Imprimé en China
par SNP Leefung Printers Limited
ISBN: 978-2-501-05120-0
Dépôt légal: 78855 - janvier 2007
Édition 01

Conseils importants

Les appareils électriques décrits dans ce livre et destinés au bon fonctionnement des terrariums et aquariums (voir pages 50 à 63 et pages 68/69) doivent être conformes aux normes en vigueur. Il ne faut pas négliger le risque lié à l'utilisation d'appareils et de fils électriques de ce type, notamment en présence d'eau. Il est vivement recommandé de se procurer un appareil électronique qui coupe le courant dès qu'un problème affecte un appareil ou un fil.

Un coupe-circuit, qui devra obligatoirement être installé par un spécialiste, aura le même effet.

Les Tortues-boîtes apprécient particulièrement les champignons.

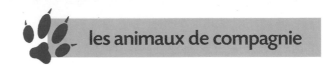

les animaux de compagnie

TITRES À VENIR DANS LA MÊME COLLECTION

- **Canaris**
- **Poissons d'aquarium**
- **Perruches ondulées**
- **Perruches callopsites**